D1240884

Le chevalier
du vent

Claude Merle

Le chevalier du vent

BAYARD JEUNESSE

Professeur d'histoire avant de devenir écrivain, **Claude Merle** a écrit des scénarios pour la télévision, des romans, des documentaires, et des pièces de théâtre. Il est l'auteur de plusieurs romans chez Bayard Éditions Jeunesse et de documentaires chez Autrement Junior.

Illustration de couverture :

Antoine Ronzon

© Bayard Éditions Jeunesse, 2006
3, rue Bayard, 75008 Paris
ISBN : 2 7470 1798 2
Dépôt légal : avril 2006

Loi 49-956 du 16 juillet 1949 sur les publications destinées à la jeunesse
Reproduction, même partielle, interdite

1
La Table de Hel

Le vent hurlait comme une bête.

En Champagne, dans l'est de la France, l'hiver de l'an 996 était l'un des plus froids qu'on eût connus depuis le début du siècle. Sous son manteau de laine et sa tunique légère, les pieds nus dans ses sandales de corde, Raoul tremblait si fort qu'il avait du mal à tenir le bâton ferré sur lequel il prenait appui. Ses membres étaient d'un rouge violet, couleur de sang séché, comme si le souffle glacial l'écorchait vif. Les bourrasques le cognaient, le repoussaient. La neige l'aveuglait. Ses pieds glissaient sur le sol gelé.

L'atmosphère était étrange : un ciel jaune, sale, tourmenté. Une lumière d'un autre monde. Le plateau qu'il parcourait, la Table de Hel, portait bien son nom. En langue germanique, Hel, c'était l'enfer. L'enfer du froid et de la désolation. S'il ne trouvait pas très vite un abri, le jeune voyageur savait qu'il ne survivrait pas longtemps.

Devant lui, quelque part, devait se trouver une abbaye : Saint-Albrand. Ce sanctuaire signifiait la chaleur d'un feu, la nourriture, le repos. Le salut. Le chemin qui y menait avait été recouvert, effacé par la neige. Pourtant, Raoul n'osait pas s'avouer qu'il s'était perdu. Il avançait depuis des heures à travers ce désert où le ciel et la terre se confondaient. Pas une maison, un arbre, un bec de roche pour s'abriter. Aucun repère.

Malgré la fatigue, la faim et les crampes, malgré toutes les tortures de son corps, il devait marcher, encore et encore. Se coucher, c'était la mort assurée. Comme le froid lui brûlait les poumons, d'une main il ramena son manteau sur son visage. De l'autre il tâtait le sol avec son bâton. Au bout de cent pas de cette progression aveugle, il buta contre un obstacle : une barrière de bois. Sortant la tête, il distingua la silhouette d'un édifice. « Saint-Albrand ! » pensa-t-il. Il se vit sauvé.

Les bâtiments étaient en bois. Du côté nord, la neige, en s'accumulant, formait des congères si hautes qu'elles obstruaient les ouvertures. À l'opposé s'élevait une palissade formée de pieux assemblés avec des cordes et fermée par une porte charretière.

Raoul frappa le bois de toutes ses forces avec son bâton, puis à l'aide d'une pierre. La porte résonna, mais l'édifice demeura silencieux. Il n'était pas abandonné, néanmoins. De l'autre côté des murs, Raoul sentait la chaleur et les odeurs des bêtes et des gens. Simple illusion, peut-être. Une chose était certaine : il ne s'agissait pas de Saint-Albrand. Il n'y avait ni croix ni cloche pour accueillir les pèlerins. C'était une ferme fortifiée, frileusement fermée à la tempête et aux brigands.

Raoul continua à heurter le bois avant de tomber à genoux, le front contre la porte qui ne s'ouvrait pas. S'il succombait là, ceux qui faisaient les sourds ramasseraient son corps glacé pour le jeter dans un trou, sans remords. Il n'était qu'un vagabond, un enfant perdu, anonyme, comme il en existait des milliers.

Un bref instant, il regretta de s'être enfui. Son père était un homme sévère, mais il n'était pas méchant. Et, s'il s'obstinait à contrarier sa vocation, c'était sans doute pour son bien, non pour son malheur. Pourtant, la destinée qu'il réservait à son fils aurait fatalement conduit celui-ci au désespoir. Depuis sa plus tendre enfance, Raoul rêvait de porter l'épée et de devenir chevalier. Cela, Hiram, son père, le célèbre médecin d'Andalousie, exilé loin d'Espagne, à Artines en Champagne, avait du mal à le concevoir en dépit de sa science. «De toute façon, il est trop tard pour faire marche arrière, songea Raoul. J'ai parcouru trop de lieues en trois jours. Je mourrai vaincu par le gel, ou l'épée à la main.»

Mourir... Il suffisait de s'abandonner, anesthésié par le froid. Ne plus marcher, ne plus souffrir, dormir. La mort, oui, mais la mort d'un lâche, pas celle d'un chevalier!

Il se redressa et se remit en route. Qui sait? la ferme appartenait peut-être à l'abbaye. Cette pensée le soutint. La neige tombait moins dru; elle cessa peu après. Alors, le vent forcit et le froid devint plus intense. Raoul devait progresser courbé, accroché à deux mains à son bâton. Pour survivre à la tempête, certains s'enfouissaient dans la neige. Mais, sur la Table de Hel, le sol gelé était trop dur. Un roc.

Il n'y avait pas d'abbaye. Le plateau s'étendait à l'infini, plat, usé, couvert de neige et de brouillard que le vent furieux déchirait et éparpillait par lambeaux. Entre deux souffles, Raoul perçut un hurlement. Le vent ne gémissait pas ainsi. Cette longue plainte, lugubre, terrifiante, il la reconnaissait: les loups! Le froid les chassait des montagnes, et la faim les rendait fous. Ils avaient flairé ses traces. La tempête portait son odeur jusqu'à la horde. Ils étaient plusieurs, Raoul les entendait plus distinctement maintenant. Il se mit à courir.

La peur lui insufflait de nouvelles forces. Elle lui faisait oublier les douleurs de ses jambes et les morsures du froid. Il n'avait plus à l'esprit que les monstres attachés à ses pas. Jadis, dans la Montagne Noire, il avait vu leurs yeux jaunes et leurs gueules sanglantes. L'un d'eux, cerné par les chasseurs dans son repaire, mordait encore le fer qui l'égorgeait. Créatures de l'enfer. Monstres de Hel.

La gorge en feu, le cœur battant à se rompre, Raoul s'arrêta pour reprendre haleine, tout en épiant les loups. Ils devaient être là, proches, silencieux, dissimulés dans le brouillard. Ils s'avançaient pour l'encercler.

Tandis qu'il guettait leurs grondements, il entendit hennir. La présence d'un cheval signifiait un secours, un ami, la survie. Il se précipita dans la direction du bruit, en imaginant un groupe de marchands ambulants, une troupe de soldats, ou mieux encore : les moines de Saint-Albrand, dont les croix d'argent chassaient les loups, disait-on.

Il atteignit ainsi le rebord du plateau. À cet endroit, une pente neigeuse plongeait vers un vallon étroit. Raoul découvrit une rivière figée par les glaces et une forêt aux branches alourdies de givre. En même temps, il perçut de nouveaux hennissements et l'odeur d'un feu. Les loups semblaient s'être éloignés.

La perspective de goûter à la chaleur et à la nourriture faillit précipiter le garçon au bas de l'éboulis. Il se retint. Autour du feu, trois hommes se tenaient accroupis. En voyant les casques bosselés, les haches, les crocs de fer et l'expression farouche des visages, Raoul identifia d'instinct des ribauds, assassins de la pire espèce. Leurs chevaux étaient attachés dans la forêt, pas très loin.

Auprès de telles créatures, inutile de quémander de l'aide. Ils lui trancheraient les pieds et les mains pour se distraire, ou bien lui attacheraient une corde autour du cou et le vendraient comme esclave. Mais peut-être aussi partiraient-ils en abandonnant des braises ainsi que les restes des gibiers qu'ils avaient dévorés. Dans son état, Raoul n'en demandait pas davantage.

Il s'accroupit, enveloppé dans son manteau, blanc sur la neige blanche, et attendit. Les ribauds discutaient à voix basse, les mains tendues vers le feu. Le temps s'écoulait lentement. L'un d'eux quitta ses compères, alla uriner contre un arbre et revint. Un autre aiguisa son couteau sur une pierre, puis posa la lame sur les braises. Au bout d'un moment, il appliqua le fer sur sa paume et serra le poing. Raoul crut sentir l'odeur de la chair grillée. Ses compères se mirent à rire.

Soudain, le jouvenceau entendit craquer la neige dure. Un cavalier approchait sur le plateau, juste derrière lui. Raoul se recroquevilla. Il n'avait plus le temps de fuir. Le cheval passa si près de lui qu'il crut sentir son souffle chaud sur sa nuque. Le voyageur ne remarqua pas sa présence; il devait observer le vallon. Il s'élança hardiment sur la pente, traçant un profond sillon dans la neige.

En bas, les trois autres s'étaient levés pour accueillir le nouveau venu. Raoul pensa qu'ils allaient aussitôt déguerpir; or il n'en fut rien. Le cavalier donna des ordres d'une voix rude. Visiblement, c'était lui qui commandait. Ses hommes recouvrirent de neige le feu et les reliefs du repas. Raoul gémit en voyant disparaître ce qui aurait pu lui permettre de se réchauffer et de reprendre des forces. Il s'était imaginé ranimer le feu après leur départ et ronger les os. Il n'aurait même pas cette aubaine !

Il se laissa tomber sur le sol. Son coude heurta une pierre, qui bascula sur la pente, provoquant une petite avalanche. Les ribauds, alertés, bondirent sur leurs armes. Ils allaient gravir le glacis, le dénicher et le massacrer. La tête enfouie entre ses bras, Raoul retint son souffle.

2

L'embuscade

Raoul resta pétrifié. Il savait qu'il était inutile de fuir. Les ribauds auraient vite fait de retrouver ses traces dans la neige. Mieux valait faire le mort. Au fond du vallon, les tueurs ne bougeaient pas, et leur silence était plus insupportable que leurs cris. Peut-être tenaient-ils le vent pour responsable de l'éboulement. Raoul n'osait pas le croire, pas encore. Cependant, comme la situation s'éternisait, il leva la tête avec prudence. Les ribauds, immobiles, tendaient l'oreille dans une autre direction. Au même instant, Raoul en perçut la raison : des craquements, encore lointains, des souffles, un tintement de métal. Un autre cavalier approchait. Contrairement au premier, celui-ci venait de l'extrémité du vallon.

Sur un signe de leur chef, les ribauds allèrent se cacher derrière les arbres de la forêt. De son poste d'observation, Raoul distingua celui qui venait. C'était un cavalier tout de noir vêtu. Son cheval, noir lui aussi, luisant, nerveux, magnifique, galopait sans se douter qu'il entraînait son maître dans une embuscade. Car le manège des ribauds ne trompait pas : cette façon d'effacer les traces de leur présence et de se dissimuler signifiait qu'ils préparaient un mauvais coup.

L'homme avait l'air d'un chevalier. Rien qu'à son maintien en selle, on le devinait fier, élégant, sûr de lui : tout ce que Raoul admirait et rêvait d'imiter. L'idée de voir un si noble personnage tomber sous les coups des assassins lui fut insupportable.

Le cavalier noir longeait le cours de la rivière recouverte de glace. À l'instant où, suivant la courbe du vallon, il se préparait à franchir le ruisseau et se jeter dans le piège des ribauds, Raoul, oubliant sa terreur, lança un cri d'alarme.

Étonnés, les bandits sortirent de leur cachette et regardèrent le haut de la crête, où Raoul agitait son bâton. Puis, sans doute convaincus que la mince silhouette était inoffensive, ils se tournèrent vers leur proie.

Au lieu de chercher à fuir, l'inconnu retint sa monture et tira son épée. Pointant sa lame, il demanda d'une voix étrangement douce :

– Que voulez-vous ?

Le chef des ribauds ricana :

– Presque rien : ton cheval, tes armes et ta bourse.

– Rien que ça ? dit le cavalier, ironique.

Au même instant, deux autres ribauds, qui devaient être postés près des chevaux et dont

Raoul n'avait pas remarqué la présence, bondirent dans le dos du cavalier afin de lui couper la retraite. À présent, ils étaient six autour de lui.

– Rends-toi! ordonna leur chef.

Sans mesurer la folie de son acte, Raoul se laissa glisser le long de la pente neigeuse jusqu'au fond du vallon. Surpris par cette diversion, les ribauds tournèrent la tête. Le cavalier noir en profita pour attaquer. Il lança vigoureusement sa monture, se courba pour éviter un croc de fer et abattit son épée, un coup à droite et un coup à gauche. L'un des bandits, atteint aux reins, s'effondra. L'autre poussa un hurlement en pressant son épaule droite.

Après cette attaque éclair, qui avait éliminé deux de ses adversaires, le cavalier noir talonna son cheval et prit du champ. Ce n'était pas pour échapper aux bandits: faisant brusquement volte-face, il chargea de nouveau. Sa science du combat en aurait effrayé plus d'un. Mais les ribauds étaient des créatures féroces qui ne craignaient pas la mort. Ils étaient encore quatre sans compter les blessés. Trois d'entre eux se ruèrent sur le cavalier. Le quatrième saisit un arc, encocha une flèche et banda son arme.

Pendant l'assaut, Raoul avait atterri au creux du vallon, enfoui sous la neige. Il lui fallut quelques minutes pour se dégager. La première chose qu'il vit en émergeant fut le chevalier menacé par l'archer. Brandissant son bâton ferré, il fonça sans hésiter sur le brigand et le piqua dans le dos. La flèche, manquant sa cible, se perdit dans les arbres.

Avec un grondement de fureur, le ribaud abandonna son arc, tira un couteau et se jeta sur l'avorton qui avait osé s'attaquer à lui. Raoul esquiva la lame avec agilité. Emporté par son élan, l'homme glissa et s'affala dans la neige en poussant un juron. Le bâton du garçon s'abattit sur son poignet, le forçant à lâcher son arme.

– Mortdieu ! hurla le bandit.

Il se dressa et se lança à la poursuite de Raoul, qui fuyait vers la forêt. Tout en courant, le ribaud détacha un croc de fer pendu à sa ceinture.

Tandis que le jeune garçon tentait d'échapper à la brute, le cavalier noir affrontait ses trois derniers adversaires. Une hache frôla sa hanche, entama sa selle. Un croc se planta dans son épaule, entre les plaques de fer de son haubert. L'agresseur, acharné, se suspendit à sa proie, alors que le cheval le traînait dans la neige. D'un revers de lame, le cavalier se débarrassa du tueur. Puis, se retournant, il en tailla un deuxième, faisant éclater son casque. Le troisième se baissa pour trancher les jambes du cheval. L'animal, dressé au combat, fit un écart et lui heurta la poitrine avec ses sabots. L'homme, piétiné, poussa un hurlement étranglé.

Victorieux, le chevalier contempla les cinq ribauds dont il venait de se défaire. Malgré leurs blessures, trois d'entre eux se relevaient déjà pour reprendre le combat. Plus loin, à l'orée de la forêt, le cavalier aperçut Raoul, qui tentait désespérément d'échapper à son poursuivant. En temps normal, le jeune garçon l'aurait distancé aisément, car il était léger et rapide. Mais la traversée du plateau en pleine tempête l'avait exténué. À bout de souffle, il ralentit, trébucha et s'effondra. Le bandit le retourna d'un coup de pied et lui arracha son bâton. Sous un crâne rasé, Raoul distingua une face couturée de cicatrices et rongée d'une sorte de lèpre. Il vit le croc, sentit le froid du fer sur sa gorge. Puis il entendit la voix éraillée:

– Le petit agneau, je vais le saigner et le cuire à la broche!

3
Aiglemont

Le croc commençait à pénétrer sa chair. Raoul se vit perdu quand, soudain, au lieu de l'égorger, le tueur suspendit son geste. Il se retourna pour faire face au cavalier noir, qui fondait sur lui. Avec une souplesse étonnante, il se courba sous l'épée de son adversaire et frappa. Le croc effleura la croupe du cheval, qui broncha. Déséquilibré, le cavalier glissa, se remit vivement en selle, puis, maîtrisant sa monture, il exécuta une volte-face. Le bandit plongea alors sous le cheval pour l'éventrer, mais ne put accomplir son geste : l'épée du chevalier l'atteignit au défaut de l'épaule, l'obligeant à lâcher son arme. Le ribaud roula sur lui-même. Il se releva et poussa un hurlement ; celui-ci s'étrangla lorsque la lame du chevalier s'abattit sur sa nuque.

Sans attendre les trois survivants revenus à la charge, le chevalier noir se baissa, empoigna Raoul, l'enleva du sol et le jeta sur sa selle.

Ils parcoururent au galop une lieue dans le vent glacial. Puis, se jugeant hors d'atteinte, le cavalier arrêta sa monture. Avec un grognement de souffrance, il arracha le croc de fer toujours planté dans son épaule.

– Je me nomme Roderic d'Aiglemont, et tu m'as sauvé la vie, dit-il en serrant le visage de Raoul entre ses mains gantées de cuir.

Le jeune garçon, qui chevauchait devant le chevalier, se retourna et sourit :

– Moi, je m'appelle Raoul.

Roderic fronça les sourcils :

– Peut-on savoir ce que tu faisais au milieu de ce désert? Seuls les loups sont dehors par un froid pareil!

– Je veillais sur vous, messire, répliqua Raoul.

Roderic réprima un sourire:

– Je vois!

Le garçon lui plaisait. Il ne manquait ni de courage ni d'humour.

– Tu passeras la nuit chez moi, à Aiglemont, dit-il. Demain, je te reconduirai chez tes parents.

Une heure plus tard, ils atteignirent Aiglemont. Raoul ouvrit des yeux effarés, car la fatigue et le froid l'avaient terrassé, et il s'était endormi entre les bras du chevalier, qui le maintenaient en selle.

Aiglemont était une véritable forteresse. Construite en bois, comme la plupart des châteaux, elle occupait une position en nid d'aigle au sommet d'une butte escarpée et prenait appui sur un socle rocheux. Une palissade l'entourait.

Un cor retentit, suivi des cris des guetteurs. La porte s'ouvrit. Une herse se releva en grinçant. Des torches éblouirent Raoul. À demi inconscient, il glissa à bas du cheval, traversa une cour boueuse, grimpa un escalier de bois et entra dans une vaste salle où des bûches flambaient dans une cheminée de pierre adossée à la roche.

Tandis que Roderic jetait sur le sol ses armes, son haubert et ses vêtements, et livrait son épaule blessée aux soins d'un serviteur, Raoul alla s'étendre contre la pierre d'âtre, dans la chaleur du feu.

Lorsqu'il s'éveilla, le lendemain, il réalisa qu'il était couché sur un lit. Celui-ci comprenait un châlit, cadre de bois soutenant un épais matelas de toile bourré de paille et d'herbe sèche odorante. Des garçons de tous âges l'occupaient avec lui. En tâtant les corps, Raoul en compta cinq. Certains d'entre eux ronflaient, d'autres gesticulaient dans leur sommeil.

Raoul se leva. La pièce était sombre et glacée. On lui avait ôté son manteau, et il grelottait sous sa mince tunique et ses chausses usées. Les ouvertures, pratiquées dans les murs de bois, n'avaient pas de fenêtres. Le vent soulevait des tentures de toile, seuls remparts contre l'hiver.

Un coup d'œil à l'extérieur lui permit de constater qu'il se trouvait dans une tour. Une échelle perçait le plancher. En la descendant, il atteignit une autre chambre, vide celle-là, et en dessous la salle de la veille. Il y faisait chaud. Une odeur de viande grillée rappela à son ventre douloureux qu'il n'avait rien mangé depuis deux jours.

La voix joyeuse de Roderic l'accueillit :

– Tiens, notre jeune guerrier !

Le maître des lieux était un homme magnifique : grand, large d'épaules, avec des cheveux blonds qui lui tombaient dans le dos. À en juger par ses vêtements, il ne s'était pas couché de la nuit. Pourtant, il était frais, souriant, énergique,

et seuls une raideur du bras gauche et un pansement visible sous sa tunique blanche rappelaient
la blessure que lui avaient infligée les ribauds.

– Viens, assieds-toi. Tu dois avoir faim, lança
Roderic en offrant un tabouret à Raoul.

Dix de ses compagnons étaient attablés à ses
côtés. Avec leurs crânes rasés et leurs visages
durs, ils ressemblaient plus aux brigands de la
veille qu'à des chevaliers. Raoul ne se fit pas
prier pour grimper sur le siège et faire honneur
au pâté de gibier qu'on poussa devant lui.

– Dis-moi, petit, où habites-tu? demanda
Aiglemont lorsqu'il le vit restauré.

– Nulle part, messire, répondit Raoul.

Roderic fronça les sourcils:

– Voilà une adresse bien vague!

– Dans les hospices, les fermes parfois. Je viens
d'Andalousie, mentit le garçon.

Roderic examina le jouvenceau. Il avait la
peau brune, les cheveux noirs, la beauté des gens
du Sud.

– Tu es musulman ?

Raoul esquissa un signe de croix.

– Non, messire, je suis chrétien, mais mes parents étaient berbères. Nous avons fui l'Andalousie après notre conversion. En Andalousie, les musulmans n'aiment pas les chrétiens, et encore moins les croyants convertis !

– Tes parents, où sont-ils ?

Raoul hésita avant de répondre. S'il disait la vérité, on le ramènerait chez son père, à Artines, et il subirait sa loi. Il mentit encore :

– Ils sont morts.

Le visage de Roderic s'assombrit :

– Alors, tu resteras ici. Baudouin veillera sur toi.

Le dénommé Baudouin se renfrogna. C'était un homme rude, et le rôle de nourrice ne semblait guère lui plaire.

– Tu parles bien notre langue pour un Maure, fit-il remarquer d'un ton soupçonneux. Qui te l'a enseignée ?

– Les moines de Saint-Hilaire.

– Pourquoi n'es-tu pas resté parmi eux ?

– Je ne veux pas être moine, déclara Raoul, mais apprendre la science des armes pour être un jour chevalier, comme le seigneur Roderic.

Les guerriers attablés éclatèrent de rire en chœur.

– Je sais manier le sabre ! se récria Raoul.

– Ah oui ? Et qui t'a appris ça ? Les bons pères de Saint-Hilaire, sans doute ? demanda Roderic avec un sourire ironique.

– Le hachfa du calife Abi Amir.

– C'est qui, ce mystérieux personnage ?

– Le chef de guerre du calife, descendant du Prophète.

– Tu en as des relations !

Quittant sa place, Aiglemont vint saisir les poignets du jeune garçon et les retourna.

– Ces mains ne sont pas celles d'un guerrier, mais d'un écolier, dit-il en riant.

– Il y a longtemps que je n'ai pas pratiqué, prétendit Raoul avec aplomb.

– En attendant d'être chevalier, tu vas découvrir le métier de valet, décréta Baudoin en soulevant Raoul par le haut de sa tunique.

Il le poussa en avant si rudement que le garçon s'étala sur le plancher.

– Attention au vent, avorton : il pourrait t'emporter ! ricana l'un des hommes.

– Viens avec moi, chevalier du vent, ordonna Baudouin.

– Le vent est utile, messire, répliqua Raoul en se relevant.

– Ah oui ? Et à quoi ?

– À faire tourner les grands moulins dans votre genre, répondit Raoul en s'esclaffant.

Il évita avec agilité la botte de Baudouin qui visait son derrière, et se faufila vers la sortie.

– Cet effronté me plaît ! avoua Roderic lorsqu'il eut disparu.

4

L'épouvantail

Les semaines suivantes, Roderic fut absent
d'Aiglemont. Raoul aurait bien aimé chevaucher
en sa compagnie. Or, au lieu de partir à l'aven-
ture, il fut astreint à toutes sortes de corvées :
transporter les bûches, creuser le sol pour faci-
liter l'écoulement des eaux, déblayer la neige,
nourrir les bêtes, gratter la rouille des armes et
huiler de vieux hauberts de mailles. Cette dernière
occupation était sa préférée. Il avait la passion
des armes et restait souvent en contemplation
devant les trophées guerriers qui ornaient les

murs du château, indifférent aux railleries des chevaliers.

Il avait menti sur son âge, prétendant avoir quatorze ans, alors qu'il en avait douze. Baudouin n'était pas dupe. Mais, s'il n'était pas bien vieux, Raoul était résistant pour son âge, et il ne rechignait jamais à la besogne. Malgré son dos douloureux et ses membres brisés de fatigue, il accomplissait son travail de l'aube au crépuscule.

«Supporte cette épreuve, et tu seras un jour chevalier», avait dit Roderic. Cette promesse décuplait sa volonté et usait ses forces. Le soir, il tombait sur sa paillasse comme une masse, trop épuisé pour manger. Parfois, avant le lever du soleil, les jeunes malicieux qui partageaient son lit le poussaient sur le plancher dans son sommeil, ou bien ils se levaient en silence et le laissaient dormir pour qu'il ne puisse commencer ses travaux à temps. Tous étaient des parents plus ou moins proches d'Aiglemont, et, à ce titre, ils jouissaient du privilège de dormir au château. Raoul, lui, n'était qu'un vagabond, recueilli par charité. Les autres supportaient difficilement sa présence et lui reprochaient de puer lorsqu'il n'avait pas le courage de se laver après avoir exécuté ses corvées. Tout était bon pour le prendre en défaut et l'humilier.

Sitôt réveillé, Raoul devait se vêtir dans l'obscurité, avaler une écuelle de soupe et sortir dans l'air glacial. Les autres valets, surtout les plus vieux, accaparaient les travaux les moins pénibles : nettoyer les litières et nourrir les bêtes dans la tiédeur des écuries, par exemple. Raoul, lui, était chargé de casser la glace à coups d'épieu ou de ramasser les excréments des latrines, puis de les porter hors de la cour.

Baudouin lui avait procuré un bonnet de castor, une vieille peau de mouton et des lanières de cuir pour se bander les mains. Ainsi accoutré, Raoul ressemblait à un épouvantail.

Quand il rentrait au château, ses mains et ses lèvres saignaient. Il était forcé de rester loin de la cheminée, tant la chaleur lui faisait mal. Cependant, il ne se plaignait jamais et, pour ne pas être en butte aux moqueries des écuyers qui le traitaient de poule mouillée, il repoussait Fabrissa, la vieille servante, qui voulait enduire sa peau de saindoux.

Les écuyers plus hargneux étaient jaloux de lui parce qu'il avait sauvé la vie de Roderic. Ils l'accusaient d'être le protégé du seigneur. Pourtant, Baudouin se gardait bien de le favoriser. Il connaissait sa meute et savait que les adolescents se comportaient avec férocité envers les intrus. Non seulement il ne lui accordait aucun privilège, mais, sans égard pour son jeune âge, il lui réservait les tâches les plus ingrates.

Parfois, Raoul était si las qu'il se prenait à regretter la douceur de sa vie antérieure. Cette faiblesse ne durait qu'un instant. Pour devenir chevalier, un homme devait s'endurcir. Aussi, il serrait les dents et s'attaquait de plus belle à la glace. Le pire n'était pas la souffrance, mais le mépris. Il aurait aimé ressembler aux autres, ces jeunes brutes qui maniaient le fer. Cependant il était inutile d'essayer d'imiter leur violence et leur vulgarité pour se faire accepter, ses manières restaient trop raffinées. Ils n'étaient pas du même monde. «Un jour, je serai comme eux, se répétait-il. J'aurai la force de Baudouin et tuerai les ours.» On racontait que le robuste chevalier avait un jour terrassé un ours furieux. Incrédule, Raoul avait demandé: «Est-ce vrai, seigneur?» Pour toute réponse, Baudouin l'avait bousculé avec une telle brutalité qu'il avait roulé au bas du glacis, jusqu'à la palissade.

«Tout cela changera avec le retour de Roderic», avait-il pensé en se relevant. Le seigneur lui avait témoigné de l'amitié. Il ne supporterait pas de le voir humilié.

Son espoir fut récompensé : Roderic revint le lendemain. Il entra au château en compagnie d'une dizaine de cavaliers. Les chevaux fumaient, et les hommes étaient blancs de givre et lourds de fatigue. Tandis que ses hommes se débarrassaient de leurs armes, Roderic prit le temps de saluer ses parents et ses vassaux. Il regarda Raoul avec indifférence. Mais, lorsque celui-ci eut ôté son bonnet pour le saluer, il le reconnut et éclata de rire. Raoul avait beau savoir son accoutrement ridicule, la réaction de son seigneur le mortifia. Oubliait-il qu'ils avaient affronté ensemble un péril mortel ?

Invité à partager le repas d'Aiglemont, il s'installa tout au bout de la grande table et observa sans mot dire les voyageurs affamés. Peu à peu, la chaleur et le vin incitaient les langues à se délier. Roderic raconta les péripéties de leur voyage. Ils avaient fait une inspection jusque dans le nord de la Champagne pour vérifier si les pirates vikings étaient revenus. Les moines de l'abbaye de Saint-Ambroise prétendaient les avoir vus. Mais Roderic et ses hommes n'avaient pas trouvé trace des terribles pillards. On était trop tôt dans la saison : les Vikings, ces géants blonds aux mœurs féroces, apparaissaient rarement avant le printemps.

Après cette expédition de reconnaissance, Roderic et ses hommes s'étaient rendus à Reims. Le chevalier décrivit l'accueil chaleureux que lui avait réservé Herbert, le comte de Champagne. Puis il évoqua les nouvelles des pays étrangers : en Italie, les Romains s'étaient révoltés et avaient chassé le jeune pape, Grégoire V. L'empereur d'Allemagne, Othon, les avait châtiés comme il convenait. Le roi de France, Robert le Pieux, avait été sommé de se séparer de sa cousine, Berthe, qu'il avait épousée contre l'avis du pape Grégoire...

Soudain, il s'interrompit et s'adressa à Raoul :

– Alors, dis-moi, ce métier de chevalier ?

– Passionnant, seigneur, lui assura Raoul. En quatre semaines, messire Baudouin a fait de moi un chevalier accompli. Sans me vanter, je sais aussi bien que lui épandre les immondices, pourfendre les bûches, étriper les volailles et chevaucher les truies.

– Vermine ! gronda Baudouin au milieu des rires de la tablée.

Roderic retint son capitaine, prêt à corriger l'insolent.

– Je vois que tu as toujours la langue aussi bien pendue !

Raoul poussa un grand soupir :

– C'est la seule arme qu'on m'autorise !

– Elle ne te servira plus à grand-chose lorsque je te l'aurai tranchée ! menaça Baudouin.

Raoul eut une moue réprobatrice :

– Fi, messire, deux chevaliers ne peuvent s'affronter en duel qu'à armes égales. Je vous conseille d'aiguiser la vôtre ou de demander grâce.

Aiglemont, réprimant un sourire, frappa la table de son gobelet d'étain pour ramener la paix :

— Tes discours me rappellent quelque chose. À Reims, on nous a parlé d'un jeune érudit qui se serait enfui de chez lui.

Raoul pâlit en songeant : «Hiram a fini par me rattraper ! J'aurais dû partir beaucoup plus loin, à Rome ou à Paris, peut-être, au lieu de rester en Champagne.»

— Le garçon en question s'est échappé d'un couvent, ajouta Aymard, l'un des chevaliers qui avaient participé au voyage.

— Saint-Hilaire ? demanda Baudouin en jetant un regard soupçonneux à Raoul.

Aymard fit un geste de dénégation :

— Saint-Martin-des-Forêts, si j'ai bonne mémoire.

– Saint-Hilaire est à Poitiers, précisa Raoul, et Poitiers se trouve à plus de cent lieues d'ici. Je n'y suis resté que deux mois. Les moines étaient gentils et généreux.

– Dommage qu'ils ne t'aient pas gardé ! grommela Baudouin.

– En fait, le novice fugitif était plus âgé que toi, intervint Roderic en regardant le petit valet d'un air songeur.

Remarquant que celui-ci tombait de sommeil, il dit :

– Tu peux aller te coucher !

Raoul fut déçu de devoir quitter la table. Malgré sa fatigue, il aurait bien aimé continuer à écouter les chevaliers. Mais l'invitation du seigneur d'Aiglemont était un ordre. Il se leva donc, gagna la tour, se glissa sous les fourrures et s'endormit aussitôt.

Roderic avait été frappé par la maigreur du garçon, son teint terreux et les plaies mal refermées sur son crâne rasé. Il en fit reproche à Baudouin :

– Je t'avais demandé de le former, pas de le détruire !

– Je ne pouvais pas d'emblée le mettre à l'école des armes, protesta le chevalier. Il fallait d'abord l'aguerrir et lui enseigner l'obéissance.

– Tu le trouves plus fort qu'à son arrivée ?

– Il s'est endurci.

Aiglemont haussa les épaules :

– T'a-t-il désobéi ?

Baudouin renifla avec colère :

– Il n'a aucun respect !

– T'a-t-il désobéi ? répéta Aiglemont avec impatience.

– Non, admit Baudouin à contrecœur. Il s'acquitte bien des tâches qu'on lui confie. C'est un garçon insolent, mais courageux.

– Je n'avais pas besoin de toi pour m'en rendre compte, dit Aiglemont avec sévérité. Il m'a suffi de le voir attaquer six égorgeurs avec un simple bâton. Tu vas le laisser quelques jours au repos. Ensuite, tu allégeras ses corvées. Il est temps pour lui d'entrer à l'école des armes. Olwen se chargera de sa formation.

5

Le maître d'armes

Deux mois s'étaient écoulés depuis que Raoul avait fait ses débuts à l'école des armes.

Ce jour-là, il s'exerçait sous la direction impitoyable du maître.

– Recommence! ordonna Olwen.

Raoul souleva sa lance avec difficulté. À force de manier, depuis l'aube, l'arme pesante, il avait des crampes dans les bras et les épaules. Il envia les écuyers plus âgés qui s'exerçaient à cheval dans le champ voisin.

– Quand est-ce que je pourrai monter? demanda-t-il.

Le vieux maître d'armes saxon cracha sur le sol avec mépris :

– Dans cinquante ans, quand tu seras plus fort que la bête ! En attendant, frappe !

Raoul prit son élan et frappa la quintaine de la pointe de sa lance. Sous le choc, le mannequin de bois pivota autour de son axe. Jusqu'alors, le garçon avait réussi à éviter les sacs de cuir emplis de terre, pendus aux deux bras de la cible. Cette fois, à l'instant où Raoul heurtait la quintaine, ses pieds glissèrent sur le sol glacé. Déséquilibré, il ne put éviter le sac de cuir. Celui-ci l'atteignit à la nuque et le projeta hors du terrain d'entraînement. Il se redressait, étourdi, lorsqu'il reçut un coup de bâton sur les reins, assené par le maître d'armes. Olwen passait son temps à corriger les maladroits. Nouveau venu à l'école, Raoul avait le dos couvert de bleus.

– Recommence !

«Toujours la même maudite chanson !» grommela le jeune garçon. Depuis bientôt un mois, il

ne faisait que manier des armes et des instruments trop lourds pour lui. À force de vouloir
l'aguerrir, le Saxon lui brisait les membres! Mais
plutôt mourir que gémir! L'apprenti guerrier se
remit en position. Cette fois, l'arme atteignit
la cible, et Raoul esquiva avec souplesse le sac
redoutable.

– Encore!

Il faillit demander grâce. Il y renonça: en
agissant ainsi, il aurait donné raison à Baudouin,
qui l'estimait trop jeune et trop malingre pour
cet apprentissage. Il recommença deux fois, puis
affecta de s'étonner lorsque le Saxon lui ordonna
enfin de cesser l'exercice:

– Déjà?

Olwen lui lança un regard féroce avant d'aller
rejoindre les écuyers à cheval. Une fois son
bourreau hors de vue, Raoul se laissa tomber
dans la neige, les bras en croix, épuisé, meurtri,
affamé. Eudes et Amaury, à peine plus âgés que
Raoul, se penchèrent sur lui. Tourmentés par

Olwen et brimés sans pitié par leurs compagnons en raison de leur inexpérience, les trois écuyers étaient unis dans l'adversité.

– Tu n'as pas mis tes gants? s'exclama Eudes en voyant les mains de Raoul couvertes de sang.

– Ils me gênent pour manier les armes.

– Quelles armes? ironisa Amaury.

Raoul sourit de bon cœur. En dehors de l'épieu, trop lourd, de l'arc de frêne, qu'il n'arrivait pas à bander, et du bâton, instrument de rustre, il n'avait pas le droit de toucher à une arme. Le fer était le privilège des vrais guerriers.

– J'aimerais monter à cheval! soupira-t-il.

– Des chevaux, ces roncins? grogna Eudes avec mépris.

Les montures des écuyers n'avaient rien de nobles coursiers. Elles étaient lourdes et lentes, de vraies bêtes de somme. Raoul les aurait pourtant chevauchées sans honte. «Je n'en aurai jamais d'autres!» songea-t-il tristement. Eudes, lui, hériterait un jour de l'un des destriers de son père, Foulque de Garlande, riche vassal d'Aiglemont. Raoul ne put s'empêcher d'envier son compagnon. « Pourquoi Hiram n'est-il pas né comte ou simple chevalier, au lieu d'être médecin ? »

Des éclats de voix dissipèrent sa morosité. Il se remit vivement sur pied. Olwen regagnait la forteresse avec sept écuyers et leurs chevaux d'exercice. Le maître d'armes agitait furieusement son bâton en hurlant :

– Tous, vous êtes tous des incapables, juste bons à curer les fosses et à tondre les moutons ! Vous ne méritez pas le brouet que vous mangez.

Raoul comprit le motif de cette colère en voyant Olwen brandir une rêne cassée. Mal graissé, le cuir se desséchait et se rompait. Et, s'il y avait une chose que le Saxon ne supportait pas, c'était bien qu'on détériore une arme ou un harnais.

Soudain, le maître s'immobilisa devant la quintaine, au centre du champ d'exercice. Il saisit une épée de bois et gronda :

– Qui veut me faire assaut ?

Son visage borgne et couturé de cicatrices faisait peur à voir. Il voulait assouvir sa rage sur quelqu'un, n'importe qui. Dans ces moments-là, personne n'osait se mesurer à lui. Dans le meilleur des cas, sa victime s'en tirait avec des plaies et des bosses. Dans le pire, avec un membre brisé. Les dix élèves baissèrent la tête.

– Et poltrons avec ça ! ricana-t-il.

Raoul fit un pas en avant :

– Moi, je veux bien essayer.

Les autres le regardèrent, stupéfaits. Guillain, l'aîné, qui avait la force d'un jeune taureau, assena une taloche au présomptueux :

– Du vent, avorton !

Il estimait être le seul à pouvoir affronter Olwen. Il ne craignait pas les coups, et sa force ébranlait parfois le maître d'armes, mais ne lui évitait jamais une correction, qui le laissait assommé et ensanglanté. Loin de se plaindre, il exhibait ensuite fièrement ses blessures comme autant de preuves de courage.

Sans se laisser intimider, Raoul se planta devant Olwen, au mépris de Guillain, qui bouillait de rage.

– S'il vous plaît, maître.

Le robuste écuyer le tira en arrière et reprit sa place. Olwen ordonna :

– Toi, va graisser les harnais !

Raoul constata, surpris, qu'il s'adressait à... Guillain ! L'aîné des écuyers, tout aussi étonné, protesta :

– Après l'assaut, maître !

Le Saxon pointa le doigt sur l'écurie. Guillain dut se résoudre à obéir, non sans décocher un regard de haine au gamin qui l'avait humilié.

– Prends une épée ! ordonna Olwen.

Docile, Raoul se pencha sur le tas de lames de bois réservées à l'exercice et prit l'épée la plus légère. Il n'avait pas choisi le meilleur moment pour relever le défi d'Olwen. Ses jambes et ses bras étaient douloureux, et sa fatigue alourdissait ses gestes.

– Eh bien! s'impatienta le Saxon. Tu comptes peut-être l'aiguiser, cette épée?

Au milieu des rires étouffés, Raoul vint se mettre face au maître d'armes. Il tentait de se rappeler les conseils du hachfa de Cordoue, valeureux manieur de sabre, que Hiram avait jadis sauvé de la mort. Ali Hassim avait salué les prouesses de Raoul. Mais il y avait longtemps de cela; il n'était alors qu'un enfant. Quelques années plus tard, ses parents avaient pris la route d'Aragon, puis celle du royaume de France après s'être convertis à la foi catholique. Raoul avait été triste de quitter son ami Ali. Au cours de leurs duels, celui-ci le ménageait. Le Saxon, lui, briserait les bras de l'apprenti sans remords.

– Je t'attends! gronda le borgne.

Raoul affermit ses semelles de peau sur le sol glacé et se mit à tourner lentement autour du maître d'armes tout en veillant à rester à distance. «Attire ton adversaire sur ton terrain», recommandait toujours Ali. Le jeune écuyer essaya de mettre ce conseil en pratique, mais le Saxon n'avait pas l'air décidé à attaquer le premier. Il se contentait d'observer ses mouvements sans réagir, son épée loin du corps, un peu en arrière.

– Quand tu voudras, dit Olwen.

– Quand vous voudrez, lança Raoul avec une pointe d'ironie.

Au même instant, un cor retentit: un cavalier approchait du château. Le son détourna l'attention du jeune combattant durant une fraction de seconde. Le Saxon en profita pour attaquer. La rapidité du coup surprit Raoul. Il bondit sur le côté, évitant de peu l'épée, qui l'aurait assommé. Durant l'esquive, son pied glissa, et il se découvrit. Olwen porta un autre coup, que l'écuyer para désespérément. La lame du Saxon franchit sa garde et atteignit sa main blessée. L'écuyer lâcha son arme avec un cri de douleur. Impitoyable, Olwen frappa en oblique. Raoul se baissa, passa sous la lame, roula sur le sol, récupéra son arme et, dans le même mouvement, attaqua son adversaire au pied. Il ne fit qu'effleurer la botte du Saxon, mais la manœuvre avait été exécutée avec une telle vivacité que les spectateurs applaudirent.

Sur la palissade, le cor retentit pour la deuxième fois. Une troupe de cavaliers, sortie de la brume, escaladait la butte. Aiglemont et sa suite étaient de retour après un long mois d'absence. Les gens du château sortirent en foule pour les accueillir. Raoul voulut les imiter, mais la botte droite d'Olwen pesa sur sa poitrine, le clouant au sol. Il se débattit en vain. Comme il tentait de cingler les jambes du maître pour se libérer, le pied gauche du Saxon lui écrasa le poignet.

Roderic le découvrit dans cette situation. Il sauta à bas de sa monture, jeta les rênes à un valet, puis il sourit au vaincu :

– Eh bien, chevalier du vent, toujours aussi téméraire ?

Olwen ôta son bonnet de cuir :

– C'était son premier assaut, messire.

Les autres cavaliers surgirent à leur tour. L'un d'eux se courba sur le col de sa monture. Ce geste fit glisser le capuchon de sa mante de laine, découvrant le plus ravissant visage de femme que Raoul eût jamais vu. Malgré sa position fâcheuse, il admira ses longs cheveux blonds nattés, ses grands yeux noirs et ses traits délicats rosis par le froid.

« Éléonore », pensa le garçon, fasciné. On ne lui avait pas menti en affirmant que la dame d'Aiglemont ressemblait à une fée. L'épouse de

Roderic revenait au château après avoir passé une partie de l'hiver chez la comtesse de Champagne.

– C'est lui, l'enfant? demanda-t-elle avec douceur.

– En personne, confirma Roderic.

Raoul fut brusquement dégrisé. «Je suis un écuyer! pesta-t-il. Et, si ce gros lard ôte son pied de mon ventre, je vous montrerai ce que je sais faire!»

Les derniers cavaliers arrivaient, chevaliers et hommes d'armes, escortant quatre dames de compagnie qui formaient la mesnie d'Éléonore. L'une d'elles sauta à terre, aussi blonde que sa maîtresse, jeune, ronde et rieuse.

– Ça, un enfant? se gaussa-t-elle. N'est-ce pas plutôt un hanneton, vautré sur le dos et agitant ses petites pattes?

Les spectateurs éclatèrent de rire.

– Pécore! grinça Raoul, fou furieux.

Le pied d'Olwen pesa plus lourdement sur le jouvenceau:

– Sois respectueux!

– Élise, tiens ta langue! ordonna Éléonore.

Avec un rire léger, la jeune fille pirouetta et suivit la dame dans la cour du château.

– Lâchez-moi maintenant! gronda Raoul en ruant pour se dégager.

– Un guerrier doit savoir reconnaître sa défaite et l'accepter avec courtoisie, dit Olwen.

– L'arrivée du seigneur Roderic m'a distrait, vous m'avez pris par surprise!

– Tu mériterais une bonne correction! rugit le Saxon.

Cependant, sous ses sourcils broussailleux, ses yeux clairs semblaient rire. Il ne détestait pas la fougue du jeune garçon. Il le libéra. Raoul se dressa et se remit en garde. Après avoir coiffé son bonnet, Olwen lui tourna le dos :

– Tu n'es pas satisfait de ta leçon? grinça-t-il.

– Pas tant que vous n'aurez pas reçu la vôtre, messire, répliqua Raoul.

Devant son attitude insolente, ceux qui avaient assisté au combat ne donnaient pas cher de la peau de Raoul. Or ils furent témoins d'un spectacle incroyable : le redoutable maître d'armes quitta le champ de bataille, secoué d'un rire silencieux !

6

Chien noir

Durant les semaines suivantes, Raoul passa
de l'épée de bois à l'épée de fer. Olwen avait
décelé en lui certaines dispositions : l'adresse, le
coup d'œil et la vivacité. L'apprentissage était
rude, et le jeune écuyer y récoltait souvent des
blessures. Mais, avec le temps, il s'habitua, et ses
progrès furent rapides.

Olwen le corrigeait lorsque son courage tournait à la témérité.

– Inutile de courir au-devant de la mort,
répétait-il à ses élèves. Elle viendra spontanément

à vous. Restez calmes, étudiez votre adversaire, notez ses défauts, tirez-en parti.

Comme il disait cela pour la vingtième fois, Guillain ricana :

— Pour faire ce que vous énumérez là, en selle, au cœur d'une mêlée, il faut être sacrément fort !

— Qui te parle de cheval, petit rustre ? vitupéra le Saxon. Tu n'es même pas capable de te battre à pied.

L'écuyer se tut, mais il nota avec hargne le soin apporté par Olwen à la formation de Raoul, qui se donnait des airs de chevalier. La jalousie attisait son ressentiment. Excepté Eudes et Amaury, tous les écuyers partageaient sa rancune. Raoul était différent d'eux. Sa peau mate, son accent étranger et son esprit moqueur les exaspéraient. Leur colère contenue pouvait s'avérer dangereuse lorsque la fin de l'exercice livrait les apprentis guerriers à eux-mêmes. Leur violence, maîtrisée par le Saxon, perdait alors

toute mesure. Les plus forts imposaient leur loi
aux plus faibles, et Raoul était leur cible favo-
rite. Des batailles qui s'ensuivaient, le jeune garçon sortait sérieusement marqué. Cependant, il
supportait ces brutalités sans jamais se plaindre.
Et les chevaliers qui assistaient à l'affrontement des novices avaient pour règle de ne jamais
intervenir.

Le plus méchant de ces apprentis guerriers
était Guillain. Les autres le craignaient et lui
obéissaient. Il tirait fierté de sa force et de la
cicatrice qui lui entaillait le front. Raoul était
son souffre-douleur. Il l'appelait «chien noir»
ou «le puant», car, étant le plus jeune des
écuyers, Raoul était toujours astreint aux corvées les plus rebutantes, sans avoir toujours le
temps de se laver avant de se rendre à l'exercice.
Son apprentissage des armes était à ce prix, et
il l'acceptait de bon gré. Depuis qu'il avait été
admis au sein des écuyers, ces basses besognes

avaient cessé de lui sembler dégradantes. Elles n'étaient qu'une façon de payer sa future dignité.

Son seul chagrin était de ne plus être admis à la table du seigneur. Depuis le retour d'Éléonore, il partageait la pitance des autres écuyers et logeait avec eux au-dessus des étables dans la tiédeur et la puanteur des bêtes, comme s'il était indigne de paraître devant elle. Pourtant, les dames vivaient à l'écart, dans la tour de l'est, surnommée tour Aubépine, où Éléonore avait sa chambre. Maintenant que le froid devenait moins vif, elles se promenaient à pied ou à cheval, escortées par les chevaliers de Roderic. Raoul pouvait les observer de loin. Elles étaient cinq, toutes charmantes, mais la plus belle était sans conteste Éléonore. Raoul avait appris leurs noms : Laure, Aude, Agnès, et aussi la plus jeune, Élise, la vive et insolente fille de Baudouin.

Un matin qu'il traversait la cour pour se rendre aux écuries, courbé sous la lourde selle de

Baudouin qu'il avait nettoyée et nourrie à la cire d'abeille, il aperçut les dames contemplant la vallée du haut du chemin de ronde. Il s'arrêta pour les admirer. Le soleil faisait resplendir leurs robes aux couleurs éclatantes et leurs longs cheveux dénoués. Soudain, le vent emporta le voile d'Éléonore. Le tissu léger flotta un moment, puis un souffle le rabattit. Sans lâcher son fardeau, Raoul le saisit adroitement au vol.

Au sommet du mur de bois, les femmes applaudirent, et Éléonore lui fit un geste joyeux de la main. La vieille Fabrissa, passant par là, lui prit le voile en riant :

– Ne va pas t'imaginer portant les couleurs de la dame, chevalier du vent !

Raoul sourit parce que le voile sentait la verveine, que le soleil était chaud et qu'Éléonore l'avait salué. Les dames avaient disparu. Il poursuivit son chemin, tout pensif, et ne vit pas surgir Guillain. L'écuyer lui fit un croc-en-jambe. Au spectacle de Raoul couvert de boue de la tête aux pieds, il s'esclaffa. Ses amis en firent autant.

– Petit souillon! dit Guillain. Ce travail est bâclé. En voyant la façon dont tu traites sa selle, messire Baudouin ne sera pas content!

– Effectivement, messire Baudouin n'est pas satisfait! Il est même furieux! déclara une voix qui sentait l'orage.

En voyant approcher la haute stature du capitaine, Raoul rentra la tête dans les épaules. Dans la cour, les rires des écuyers avaient cessé, tandis que les hommes d'armes et les valets observaient la scène avec curiosité.

– Une selle en cuir de Cordoue et rouelles d'argent, sais-tu ce que ça coûte?

Comme Raoul restait muet, Guillain le poussa du pied pour l'inciter à répondre.

– C'est à toi que je m'adresse, bestiasse! tonna Baudouin.

Guillain se renfrogna en réalisant que le chevalier s'en prenait à lui. Il existait une hiérarchie chez les écuyers, à l'instar des chevaliers, et dans cette hiérarchie Guillain avait conquis le premier rang, alors que l'avorton couché dans la boue n'était qu'un valet, et son admission à l'école des armes, un privilège intolérable. Tout en considérant l'affront qu'il subissait comme une injustice, Guillain était bien obligé de se plier aux ordres de Baudouin.

– Je connais sa valeur et la respecte, grogna-t-il.

– Alors, je te conseille de la nettoyer avec soin. S'il reste la moindre trace de boue, c'est ton propre cuir qui souffrira.

Conscient des regards moqueurs et ravis de ses compagnons, auxquels il avait l'habitude d'imposer sa loi, Guillain ramassa la selle. En s'inclinant, il murmura à l'oreille de Raoul :

– Sale petit noiraud, tu me le paieras !

Le soir, tandis que Raoul jouait aux anneaux, à l'extérieur de l'enceinte, avec d'autres adolescents du château, garçons et filles, il vit approcher plusieurs écuyers. Guillain marchait en tête.

Raoul redoutait cette rencontre, qu'il savait iné-
vitable. Le château et le domaine d'Aiglemont
étaient vastes, certes, mais pas suffisamment
pour empêcher Guillain de le coincer en douce
et de se venger de lui. Aussi, à quoi bon retarder
l'instant fatal?

– Je t'avais bien dit qu'on se retrouverait,
chien noir, ricana l'écuyer.

Il se mit à tourner autour du garçon en gro-
gnant et en aboyant.

– Couché, sale bête! commanda Raoul.

Les enfants et les écuyers s'esclaffèrent, et
Guillain, qui voulait effrayer Raoul et n'y parve-
nait pas, devint rouge de colère:

– Nous allons voir si tes jambes sont aussi
agiles que ta langue!

Ramassant une baguette de coudrier, il
commença à cingler les mollets du jouvenceau.

– Danse! Allons, danse! Fais le beau!

Comme Raoul refusait d'obéir, la brute
frappa de plus en plus fort. Malgré la douleur,

l'adolescent se contenta de serrer les dents sans émettre la moindre plainte, jusqu'à ce qu'un coup plus violent le projette au sol. Sous ses chausses en lambeaux, ses jambes n'étaient plus qu'une plaie. Guillain se pencha, le saisit par les cheveux et le secoua en murmurant d'une voix sourde :

– J'espère que ça te servira de leçon, petit roquet.

Il jugeait sa victime soumise, c'était mal la connaître. Au moment où le bourreau croyait triompher, Raoul lui happa la main et le mordit de toutes ses forces. Laissant échapper un cri de douleur, Guillain tenta de se dégager, mais il eut beau forcer, les mâchoires du jeune garçon résistèrent à ses efforts. Pour lui faire lâcher prise, Guillain dut lui marteler le visage de son poing valide. Il ne fut libéré que lorsque Raoul s'effondra, assommé. La douleur paralysait la main de l'écuyer, percée jusqu'à l'os.

– Ordure !

Fou de rage, Guillain empoigna son adversaire inanimé et le traîna sur le sol.

– Les animaux féroces, on les met en cage ! gronda-t-il.

En comprenant ce que Guillain s'apprêtait à faire, les autres pâlirent. La brute amenait Raoul vers le chenil du château. Dans une excavation rocheuse, derrière des barreaux de fer, hurlaient douze créatures sauvages. Ce n'étaient pas les lévriers de Roderic, ni les chiens utilisés pour la chasse, qui vivaient au château, mais des chiens de guerre, qui ne connaissaient que le fer et le fouet.

– Il va se faire dévorer ! protesta l'un des écuyers.

Guillain se contenta de ricaner en montrant sa main blessée :

– C'est lui qui les saignera !

Une toute jeune fille, qui avait joué avec Raoul, voulut courir alerter les gens du château.

Guillain la menaça :

– Si tu bouges, je t'encage avec lui !

Elle se figea, frissonnant de peur, tandis que la brute s'attaquait aux verrous de la grille et que les fauves grondaient avec férocité.

7

La chambre haute

Les voix semblaient venir de loin. Elles étaient jeunes, fraîches, mélodieuses. «Des anges, ce sont des anges», se dit Raoul. Il tenta de remuer et fut parcouru d'ondes brûlantes. La douleur irradiait de tout son corps : ses jambes, ses reins, sa mâchoire, son crâne. Il n'était plus qu'un corps brisé, les membres attachés au tronc par des liens invisibles.

Les anges poursuivaient leur conversation :

– S'attaquer ainsi à un enfant sans défense !

– On devrait chasser ce Guillain !

– Le fouetter, le marquer au fer rouge !

– Roderic décidera de son sort, dame bourreau, fit une voix rieuse. En tout cas, l'enfant ne s'est pas mal défendu, à ce qu'on m'a rapporté.

– Bien fait !

Raoul se rappela soudain son combat contre Guillain. C'était de lui qu'on parlait. De la correction qu'il avait subie !

Ouvrant les yeux, il vit une grande pièce, surmontée d'une charpente de bois. Le soleil, entrant par les fenêtres, inondait un décor charmant : des tentures aux couleurs vives, des coffres, un grand lit recouvert de fourrures. Cependant, les plus beaux ornements du lieu étaient les jeunes femmes qu'il avait prises pour des anges.

– Il se réveille ! s'écria l'une d'elles.

Elles s'approchèrent et entourèrent la couche basse où il était étendu. Il se dressa, et retomba aussitôt en gémissant.

– Reste tranquille.

La voix était tendre et inquiète. Raoul reconnut Éléonore. Elle était telle qu'il l'avait entrevue : blonde, délicate et ravissante. Les autres : Laure, Aude, Agnès et Élise se penchaient sur lui avec des airs anxieux. Il y avait aussi deux servantes de leur âge, dont Raoul ignorait le nom.

Un parfum de fleurs l'enveloppait. Le bruissement des robes lui montait à la tête.

– Où suis-je ?

– Dans l'appartement de dame Éléonore, dit Aude. Tout en haut du donjon, près du ciel.

– Avec les anges, ajouta Raoul.

Elles se mirent à rire.

– Il a une langue, pas seulement des dents, fit remarquer Élise.

Raoul rougit au souvenir du moyen qu'il avait employé pour se défaire de son tortionnaire. Surmontant sa souffrance, il s'assit sur sa couche et constata qu'on lui avait bandé les jambes et le visage. Le reste de son corps était nu ; pourtant il n'avait pas froid, car des braseros chauffaient la pièce. Se sentant ridicule, il tira le drap sur lui.

– Pourquoi as-tu affronté Guillain ? demanda Élise.

– Les hommes doivent savoir se battre, répondit Raoul.

Elle hocha la tête :

– Les hommes, oui.

Il rougit encore, mais de colère cette fois, parce qu'elle sous-entendait qu'il n'était qu'un jouvenceau, alors qu'elle n'était guère plus âgée que lui. Si les écuyers avaient pu le voir, choyé par toutes ces femmes, ils auraient eu raison de se moquer de lui.

– Sans l'intervention de Baudouin, les chiens t'auraient dévoré !

– Les chiens ?

Il les regarda, sidéré. Il ignorait que l'écuyer avait tenté de l'enfermer dans le chenil, puisqu'il avait perdu connaissance avant d'être précipité dans la cage.

– Nous allons te garder ici jusqu'à demain, annonça Éléonore.

– Ici?

– L'endroit ne te convient pas?

– C'est beau, dit-il avec conviction. Surtout ces deux coffrets de Grenade.

– Comment sais-tu qu'ils viennent de là-bas? s'étonna Éléonore. Je sais que tu es né en Andalousie, c'est ce que tu as dit à Roderic, mais pourquoi Grenade, et pas Cordoue, Séville ou Tolède?

– Cette façon de travailler l'argent n'appartient qu'aux ciseleurs de Grenade. Ces entrelacs de fleurs et de feuilles.

– Ton père était l'un de ces artistes? demanda Laure.

Il haussa les épaules :

– Pas du tout.

Puis il se frotta la mâchoire pour montrer qu'il avait du mal à parler à cause des coups reçus.

– Tu souffres encore ! s'inquiéta Éléonore.

Il acquiesça en silence, mais la moue de la dame signifiait qu'elle n'était pas dupe : il refusait de parler de ses parents. Pensant que c'était peut-être le chagrin qui le rendait muet, elle n'insista pas. En réalité, Raoul avait peur qu'on découvre l'identité de son père et le renvoie chez lui.

– Préparez-lui un bain, commanda Éléonore aux servantes.

Il protesta :

– Je pourrai aller aux étuves, demain.

– Pas question de rester ainsi si tu veux dormir dans cette chambre !

« Je n'ai rien demandé ! » pesta-t-il intérieurement. Il se sentait mal à l'aise à l'idée de se laver en leur présence.

– On sent que tu as séjourné un mois avec les bêtes, soupira Élise.

– Chacun son odeur, répliqua-t-il. Ton parfum de violette est beaucoup trop fort. Dans mon pays, on dit que les senteurs violentes cachent quelque chose.

– Écoutez l'insolent! s'indigna Élise. Il a vraiment la langue bien pendue!

– Surtout pour un blessé que la douleur empêchait de prononcer un seul mot il y a quelques instants, ajouta Éléonore.

Il crut qu'elle allait le questionner encore, heureusement l'irruption des deux servantes portant des baquets d'eau détourna leur attention. Elles remplirent un chaudron. L'une y ajouta l'eau qui chauffait sur un brasero; l'autre défit ses pansements. Puis elles l'aidèrent à se plonger dans son bain. Quand il eut fini de nettoyer son corps, l'eau était rouge.

– Il saigne encore! s'exclama Laure.

– Et il a du mal à marcher. Cette brute l'a méchamment estropié! ajouta Élise.

Elles firent venir le serviteur qui faisait office de barbier et de chirurgien. Il enduisit les plaies de Raoul d'une pommade malodorante.

– J'aime encore mieux sentir la bête! protesta Raoul.

– Avec le gincler, tes plaies guériront vite, dit le barbier.

– Le camphre serait plus indiqué.

– Et médecin, avec ça! ironisa Laure.

– Vous avez réponse à tout, à ce qu'il paraît, monsieur le savant, dit Élise. Pourtant, il y a une chose que vous ignorez: quand une dame vous fait l'honneur de vous accueillir sous son toit et de vous traiter comme son propre fils, la politesse exigerait de remercier, au lieu d'ergoter.

Raoul baissa la tête et murmura:

– C'est vrai, je vous demande pardon.

Il se sentait sincèrement ému, car son enfance privée d'affection ne l'avait pas habitué à tant de douceur. Éléonore lui caressa les cheveux en murmurant :

– Tes parents doivent te manquer.

Il redressa la tête.

– Pas lorsque je suis auprès de vous, ma dame, dit-il avec une courtoisie surprenante, prouvant qu'il avait reçu une bonne éducation.

8

Fleurs de mai

– Alors, ma mignonne, on marche à l'aigrette?

On disait cela des filles trop coquettes, à l'allure précieuse. Raoul pointa sa béquille sur le plaisantin :

– Gare à ton ventre, grosse carpe!

– Tu n'as pas mis ta jolie robe, aujourd'hui?

– Prête-moi la tienne!

En quittant la chambre haute pour regagner son logis, le garçon s'était attendu aux railleries des autres. Grâce à son agilité d'esprit, il rendit coup pour coup et ne tarda pas à mettre les rieurs de son côté. Mais les attaques de Guillain risquaient d'être plus rudes. L'écuyer n'était pas encore là ; il arriva très tard, l'air sombre et le bras droit serré dans des éclisses, plaquettes de bois liées par des cordes.

– Que lui est-il arrivé ? s'étonna Raoul.

Eudes lui adressa un clin d'œil :

– Il s'est battu en duel avec Olwen.

Le ton complice du jeune écuyer suggérait que le maître d'armes avait puni le brutal. Sur l'ordre de Baudouin peut-être, ou celui de Roderic.

En apparence, Baudouin se comportait toujours de la même manière avec Raoul : ce n'étaient qu'insultes et sarcasmes. Cependant, il ne le rudoyait plus physiquement, et, tant que l'adolescent resta handicapé, il le dispensa de toutes les corvées. Puis, après sa guérison, il continua à lui épargner les travaux incombant aux valets. Il les remplaça par des exercices physiques plus conformes à ses vœux : l'équitation, le maniement de la lance et le tir à l'arc.

Les armes de Raoul étaient plus légères que celles des adultes. En dépit de ses progrès, le jeune apprenti, en selle, aurait été incapable de tenir une hampe de huit kilos, ou de bander le grand arc de frêne, comme le fit Guillain dès que son bras fut guéri.

Malgré tout, au cours de ces mois, Raoul fut heureux: il montait maintenant à cheval, non sur un roncin, mais – grand privilège – sur le vieux coursier de bataille de Roderic. Il se disait qu'il parviendrait un jour à devenir chevalier si la chance le favorisait de nouveau, comme le jour béni de sa rencontre avec Aiglemont.

Lorsque celui-ci assistait à l'entraînement, le jeune Espagnol multipliait les exploits. Un jour, sans avoir l'air d'y attacher d'importance, Aiglemont s'informa:

– Comment va le petit?

– Il est adroit et endurant, dit Olwen.

– Courageux, ajouta Baudouin.

– Mais pas encore assez robuste, n'est-ce pas?

Baudouin émit un grognement. Même en considérant que le garçon avait triché sur son âge, on pouvait douter qu'il eût un jour la force de porter les armes de guerre et l'armure.

– Faut voir, grommela Olwen.

En dépit de sa rudesse, le vieux maître estimait son élève. Roderic, lui, ne pouvait se défendre d'un sentiment plus chaleureux encore. Il voulait offrir à l'enfant qui lui avait sauvé la vie une chance de réaliser son rêve. Pour ça, Raoul devait souffrir plus encore et s'endurcir, quitte à renoncer si l'entraînement s'avérait au-dessus de ses forces.

Roderic en discuta avec Éléonore, mais ils n'étaient pas d'accord. Avec la dame, le dialogue était le plus souvent très animé. Sous une apparence douce et délicate, elle avait ses opinions et savait les soutenir :

– L'enfant est très intelligent.

– Vraiment ?

Le visage de la jeune femme s'éclaira d'une moue rieuse :

– Ne faites pas l'innocent. Vous l'avez remarqué, tout comme moi.

– Il est rusé, admit Roderic.

– Intelligent, insista Éléonore. Téméraire et un peu fou. Il m'arrive de trembler pour lui. S'il continue ainsi, il ne vivra pas très vieux.

« C'est son instinct maternel qui parle », songea Roderic. Ils n'avaient pas encore d'enfant, et ce petit Espagnol, beau, hardi et pétillant d'esprit, les avait conquis. Il ravivait leur envie d'avoir un fils.

– Peut-être pourrions-nous faire meilleur usage de son intelligence, ajouta-t-elle.

Roderic éclata d'un rire moqueur :

– Un meilleur usage que celui auquel je le destine ? Serait-il donc trop intelligent pour devenir chevalier ?

– Lorsque j'entends ce persiflage, oui, répondit Éléonore. Confiez-le-moi deux heures par jour.

– Pour faire de lui un enfant de chœur?

– Un homme, un homme comme vous, dit Éléonore avec tendresse.

– Vous trichez, ma mie. Mais, soit, l'enfant est à vous... À condition qu'il y consente.

Lorsque Baudouin lui annonça qu'il serait de service tous les après-midi chez la dame, Raoul s'inquiéta : s'agissait-il de contrarier sa vocation? Baudouin le rassura :

– Tu continueras à t'exercer avec les autres.

– Qu'est-ce que je ferai, là-haut?

– Dame Éléonore te le dira. Du reste, elle te laisse libre. Tu as le droit de dire oui ou non.

Pouvait-il refuser? La dame s'était montrée si bonne avec lui! Et son époux l'avait accueilli dans sa maison sans lui poser de questions. Il les admirait, les vénérait, il aurait donné sa vie pour eux. Mais, pour l'instant, il n'était pas à la hauteur : les autres écuyers étaient plus forts que lui. Le maître d'armes le lui répétait sans cesse : « Tu ne mérites pas le pain qu'on te donne. Pour cela, tu dois travailler davantage. »

La chambre haute, avec ses velours, ses parfums, ses trésors et sa chaleur, était une incitation à la mollesse. Raoul se conforma cependant aux ordres d'Éléonore et vint ponctuellement la servir chaque après-midi, quoiqu'il lui coûtât d'être traité par les dames comme un page :

– Raoul, apporte-moi ma broderie.

– Mets du bois dans le feu.

– Raoul, va puiser de l'eau.

– Chante-nous une chanson de ton pays.

– Parle-nous de l'Espagne.

Il obéissait en soupirant. Parfois, il se laissait entraîner par son récit. Ses descriptions devenaient poétiques, surtout lorsqu'il décrivait la cour du calife ou les magnifiques jardins d'Al Mansour. Soudain, il sentait sur lui le regard attentif d'Éléonore et se dépêchait de changer de ton. Il n'était plus alors qu'un garçon inculte, cherchant désespérément ses mots. Cette comédie stupide l'exaspérait : était-il un bouffon, pour distraire les femmes et subir leurs caprices ? Au lieu d'accomplir ce travail de serviteur, il aurait aimé les accompagner à la chasse ou à la ville. Mais ce rôle était réservé aux chevaliers : Lanval, le fiancé de Laure, Mercueil, le jeune époux d'Aude, Ancy, Roger, Perceval ou Baudouin. Lui, Raoul, n'était bon qu'à ranimer le feu ou à raconter des histoires, alors que son cœur brûlait d'impatience.

– Tu t'ennuies ?

Il regarda le beau visage d'Éléonore, empreint de sollicitude :

– Non, ma dame.

Sa rougeur révéla son mensonge : oui, il s'ennuyait. Il avait hâte de retrouver son épée, et regardait à la dérobée la clepsydre, l'horloge à eau, qui s'écoulait trop lentement à son gré.

– Viens, Raoul, je vais t'apprendre à danser!
l'invita Aude.

Elle tendit la main.

– Moi?

Il se demanda si elle se moquait de lui, mais
Élise battit des mains d'un air joyeux:

– Oui, dansons! Dansons!

Laure se mit à frapper sur un petit tambour
et à chanter. Elle avait une jolie voix. La chanson était entraînante. Mais Raoul songeait à
l'exercice qu'il allait manquer et à la mauvaise
humeur d'Olwen.

– Qu'est-ce que tu attends? Un chevalier
accompli doit savoir danser, sais-tu? s'impatienta Aude.

– Grand dadais! On ne lui a jamais enseigné
la carole, ni la ronde des fleurs de mai, soupira
Élise en tourbillonnant au rythme de Laure.

– Si, on a essayé... à coups de bâtons, grommela Raoul, qui songeait à Guillain.

– Cette fois, ce sera plus doux, promit Aude en lui prenant la main. Fais comme moi. Voilà : trois pas à gauche, puis un arrêt. Suis bien le rythme, écoute Laure. En même temps, tu te balances. Comme ça, oui. Puis tu reprends : trois pas à gauche... C'est bien !

– Il est gracieux, fit remarquer Éléonore, qui contemplait la scène avec amusement.

La carole fut suivie d'une danse aux figures compliquées, où Raoul s'embrouilla.

Lorsqu'elle se termina, il supplia :

– Puis-je redescendre, maintenant ?

– Va, tu l'as bien mérité, répondit Éléonore en riant.

– Avant de partir, viens m'aider à enfermer Mélusine, exigea Élise.

– Cette pie stupide ! ronchonna Raoul. Elle déteste sa cage. On en a pour des heures, et Olwen m'attend.

– Il attendra ! s'écria Élise en tapant du pied.

Et puis, d'abord, Mélusine est maligne, c'est toi, l'animal stupide!

– Pourquoi veux-tu mettre tout le monde en cage, mignonne? intervint Éléonore.

– Tout le monde, non, seulement Mélusine.

– Mélusine et Raoul.

Élise fronça les sourcils et se mordit les lèvres de dépit:

– Disparais, chevalier du vent, et que le diable t'emporte!

Raoul s'inclina avec une feinte courtoisie:

– Damoiselle, malgré votre humeur chagrine, votre beauté me porte à vous aimer.

Élise haussa les épaules, tandis qu'Éléonore demandait avec stupéfaction:

– Où as-tu lu cela?

– Lu? Non, mais entendu peut-être, un jour, je ne sais où, plaisanta Raoul en s'éclipsant.

– Qu'a-t-il dit de si extraordinaire? s'étonna Laure devant l'air intrigué de la dame.

— Une impertinence, soupira Élise.

— Pas du tout, expliqua Éléonore, c'est une citation d'un livre savant, *Le Callimaque* de Hrotsvitha, une histoire d'amour écrite par une religieuse de l'abbaye de Gandersheim, en Germanie.

— Coïncidence, affirma Agnès.

— Coïncidence? J'en doute..., murmura Éléonore.

9

L'anneau d'or

– Ce farfadet n'a peur de rien ! jubilait Olwen.
Baudouin ricana :
– Le problème, c'est qu'il ne fait peur à
personne.

Le Saxon continua de sourire, mais de satisfaction. Tout léger qu'il était, Raoul possédait
des dons particuliers, l'agilité, l'adresse et la hardiesse. Le travail du maître consistait à lui expli-
quer la façon d'en tirer parti.

Depuis que ses blessures étaient guéries,
Raoul sentait frémir en lui des forces nouvelles.
À cheval, il était désormais le plus adroit. Il était

capable de chevaucher debout sur sa selle ou de ramasser au sol n'importe quel objet en plein galop.

– Il est bon cavalier ! admit Baudouin.

À peine avait-il prononcé ces paroles que Raoul, heurté par Lucas, fut projeté à terre d'un coup de lance. Tandis qu'il se relevait, le front en sang, le maître d'armes le rabroua :

– Un pantin, voilà ce que tu es !

Il lui laissa le temps de bander son front, puis il lui tendit une épée en lui recommandant :

– N'essaie pas de lutter à la manière des autres. Frappe avant eux, ensuite replie-toi.

Raoul bondit à cheval et s'élança sur le Saxon.

– Comme ça, oui, approuva Olwen. Frappe maintenant, esquive, plus vite !

Raoul obéit. Mais, l'instant d'après, Olwen le renversa d'un coup d'épaule et lui piqua sa lame au creux du cou.

Baudouin maugréa :

– Au milieu de la mêlée, il sera emporté comme un fétu de paille! À qui sert-il, je vous le demande?

– Je vais vous montrer son utilité, messire, dit Olwen. Mes haches, vous autres!

Les écuyers se bousculèrent pour apporter au Saxon quatre haches aux fers tranchants et aux manches courts. Il était fascinant de voir avec quelle adresse Olwen maniait ces armes redoutables. Sans effort apparent, le Saxon les lança l'une après l'autre sur la palissade, où elles se plantèrent solidement, de bas en haut, à un mètre cinquante de distance. Cet exercice lui prit moins de trente secondes.

– Fermez la herse! ordonna-t-il.

Comme les gardes obéissaient, Olwen fit signe à Raoul:

– À toi!

Exécutant un exercice qu'ils avaient déjà répété, le jeune Espagnol s'élança, agrippa le manche de la première arme, opéra un rétablissement, saisit le deuxième et grimpa avec agilité, de hache en hache, jusqu'au somment de la palissade, où il se tint à califourchon.

— Et après? Qu'est-ce que tu essaies de démontrer? s'esclaffa Baudouin. Que ton singe va prendre d'assaut à lui seul un château fort?

— Continue! cria alors Olwen.

Raoul tira son couteau et trancha la corde qui maintenait le contrepoids de la herse. Celle-ci s'éleva aussitôt, sans qu'on puisse la refermer.

— Messire, la place est à vous! triompha Olwen.

— Pas mal! reconnut Baudouin avec un petit sourire.

Puis il examina la herse:

— Il faudra installer une chaîne.

— C'est ce que je me tue à réclamer depuis deux ans, grommela le Saxon.

L'œil du chevalier laissa paraître une lueur ironique:

– Et, dis-moi, comment ton écureuil brisera-t-il la chaîne?

– Il mettra plus de temps, mais il réussira, messire.

– Un acrobate réussirait tout autant, fit remarquer Baudouin, de mauvaise foi.

– Il ne résisterait pas une minute à un chevalier, objecta Olwen.

– Tandis que ce vermisseau...

– Essayez, messire, proposa le Saxon.

– Viens chercher ta raclée, viens, chevalier du vent, commanda Baudouin avec un gros rire.

Raoul se laissa glisser avec adresse le long de la corde et se plaça face au redoutable chevalier. Sans lui laisser le temps de tirer son épée du fourreau, il bondit soudain, passa souplement derrière lui. Baudouin sentit le froid de son couteau sur sa gorge.

– Mort du démon! rugit le grand chevalier. Tu m'as eu par traîtrise. Reviens te battre, tout de suite, tu entends?

— Je ne me bats pas avec un mort, répondit Raoul en lui tournant le dos au milieu de l'hilarité générale.

Cependant, tout agile qu'il fût, il ne put éviter un coup de botte aux fesses, qui le souleva de terre.

— Attaquer par derrière? Honte à vous, messire! plaisanta le jeune écuyer en prenant la fuite.

Les dames rirent beaucoup en apprenant l'exploit et la ruse du jeune Espagnol. L'après-midi, elles l'emmenèrent en bateau sur l'étang avec Roderic. L'hiver s'éloignait. La glace avait fondu, et les canards étaient revenus; mais la nature restait figée. Roderic et Éléonore, emmitouflés dans des fourrures, étaient assis côte à côte sur une barque, que deux serviteurs poussaient à l'aide de longues perches. D'autres barques suivaient.

Aude et Raoul étaient installés face à eux. Aude chantait une vieille ballade, et le jeune écuyer, les yeux clos, se laissait bercer par le glissement silencieux du bateau et la voix mélodieuse de la jeune femme.

– Raconte-moi ton enfance, chevalier du vent, demanda Roderic.

– Le soleil du sud, le gel du nord, murmura Raoul.

Éléonore se mit à rire :

– C'est un peu court, monsieur le muet! Comment est l'Espagne, dis-moi?

– Blonde, comme vous, dit-il sans ouvrir les yeux. Avec des maisons blanches et des jardins bruissants d'oiseaux. Une lumière d'or et une fraîcheur de source vive. Je vous ai déjà raconté cela.

– Pourquoi avoir quitté un tel paradis? railla Roderic.

– Le paradis d'Allah n'est pas très indiqué pour les chrétiens, dit Raoul. Nous avons fui vers le royaume de France. Puis ma mère est morte, peu avant mon père. Elle était brune, pourtant elle vous ressemblait, dame. Je crois, du moins... C'était il y a si longtemps !

Aude avait cessé de chanter et les rameurs, de manier leurs perches. Tous regardaient le garçon mélancolique, perdu parmi les ombres de son passé. Roderic allait reprendre ses questions quand il grimaça et porta la main à son œil.

— La poudre des orvanes, ne frottez pas, recommanda Éléonore. Laissez-moi faire.

Elle retira son anneau pour le mettre en contact avec la poussière végétale qui brûlait l'œil de son époux. Il était connu que l'or attirait les matières indésirables et purifiait les humeurs. Comme elle soulevait la paupière de Roderic, un canard s'envola à la surface de l'eau, frôlant le visage d'Aude, qui sursauta. La barque se mit à tanguer, et Éléonore laissa échapper le bijou, qui tomba au fond de l'étang.

La jeune femme poussa un cri de détresse:

cet anneau était celui de son mariage, un gage d'amour. Le perdre ainsi portait malheur.

– Non! sanglota-t-elle.

Roderic la serra dans ses bras:

– Je ferai vider l'étang. Nous le retrouverons.

Elle secoua la tête avec désespoir:

– Il est perdu.

Elle n'avait pas fini de balbutier ces paroles que la barque fut violemment déportée: Raoul avait plongé tout habillé dans l'étang et disparu sous l'eau.

– Le fou! s'exclama Roderic, penché sur le miroir brouillé du lac.

Les deux serviteurs observaient la scène, ne sachant que faire: on disait que les eaux dormantes recelaient la mort.

Comme le garçon tardait à remonter, Roderic rejeta ses fourrures et commença à retirer sa tunique et ses bottes de peau. Au même instant, la tête de Raoul creva la surface de l'étang.

– Reviens ! le supplia Éléonore.

Mais, après avoir inspiré profondément, il plongea de nouveau. Cette fois, il resta beaucoup plus longtemps.

Aude se mit à trembler :

– Les cheveux du diable ont dû le saisir !

On appelait ainsi de longues herbes qui s'enroulaient aux membres des nageurs imprudents.

Au moment où Roderic se préparait à plonger pour lui porter secours, Raoul émergea. Sa main brandissait l'anneau d'or d'Éléonore. Les serviteurs s'empressèrent d'empoigner le nageur et le tirèrent à bord. Roderic le dévêtit, il le frictionna avec vigueur et l'enveloppa dans ses fourrures. Le garçon tremblait tellement qu'il faisait vibrer la barque.

Le soir, la fièvre le prit. Pendant huit jours, on crut qu'il allait mourir. Cependant, il guérit, et certains crurent à un miracle. Le dimanche de la Sainte-Reine, on organisa une fête en son honneur. Roderic y parut fort tard et de méchante humeur. Attirant Raoul à l'écart, il le réprimanda avec sévérité :

– C'était à moi de plonger et de risquer ma vie pour cet anneau.

Raoul secoua la tête d'un air têtu :

– Éléonore a besoin de vous, seigneur.

– Et moi, j'ai besoin de toi, pauvre fou !

– Comme écuyer personnel ? demanda Raoul d'un air innocent.

Aiglemont le foudroya du regard :

– N'essaie pas de marchander avec moi, sale petit goupil !

L'affection qu'il éprouvait pour le jeune écuyer grandissait malgré lui, au point de l'indisposer parfois, car il la considérait comme une preuve de faiblesse.

10

Le solitaire

Le printemps avivait les couleurs du ciel et de la terre. Mais pour les seigneurs, les guerriers et les manants, qui ne connaissaient pas d'autres saisons que l'hiver et l'été, il s'agissait seulement de la renaissance des beaux jours, ceux où les heures étaient plus longues et les nuits, plus courtes. Le temps du dégel des ruisseaux et celui des fruits sauvages. Et du gibier.

Depuis l'aube, les cors résonnaient et se répondaient de cime en cime, comme pour réveiller l'immense forêt engourdie qui s'étendait sur près de six lieues autour d'Aiglemont. Personne ne savait vraiment ce que recelait cette étendue obscure, en partie impénétrable, abandonnée aux loups en hiver, pleine de richesses et de mystères en été. Pas même Roderic, qui tenait ces terres sauvages de ses aïeux.

Des clairières avaient été conquises et des villages de bois édifiés, le long du chemin de Troyes, par les serfs et les colons dépendant d'Aiglemont. Pour eux, la grande forêt était à la fois une protection contre les brigands et une source de légendes terrifiantes. Hormis les charbonniers, aucun d'entre eux ne s'aventurait à plus de cent pas dans les fourrés, sauf les jours où leur seigneur traquait son gibier.

Ce jour était venu. Les chasseurs étaient armés de haches et d'épieux. Les pisteurs, d'arcs et de couteaux aux lames courbes. Les piqueux tenaient en laisse la meute hurlante. Les tenanciers d'Aiglemont, munis de fourches et de

bâtons, couraient déjà pour rabattre le gibier.
D'autres taillaient les pistes effacées par l'hiver
ou guidaient les bœufs attelés aux chariots qu'on
destinait au transport des trophées.

Roderic examina une dernière fois sa petite
armée avant de donner le signal du départ. Ses
yeux s'arrêtèrent sur Raoul, qui contemplait la
troupe avec envie.

– Tu peux prendre Ovide, mon cheval, si tu
veux.

Comme s'il n'attendait que cette permission,
le garçon se rua vers les écuries au milieu des
rires des cavaliers. Il était seul, avec Aiglemont,
à pouvoir monter la bête ombrageuse.

– Sacré chasseur! rugit Guillain, en voyant
que, dans sa hâte, Raoul montait le cheval à
cru, comme un manant.

Le cor de Roderic couvrit sa voix. La troupe
gagna la vallée et pénétra bientôt dans la forêt.
Le chemin, débarrassé des arbres abattus, était

boueux et creusé d'ornières. À six lieues de là, il rejoignait la route de Reims, au revers du plateau où Raoul avait failli périr bien des mois auparavant. On n'entendait pas encore les rabatteurs : ils se trouvaient plus loin, près des étangs.

Au signal de Roderic, la file des cavaliers obliqua vers le nord. Le sentier devint plus étroit et accidenté. D'énormes rochers parsemaient la forêt, et la piste était coupée de ruisseaux, transformés en torrents furieux par temps d'orage.

Raoul fermait la marche. Depuis son arrivée au château, c'était la première fois qu'il s'avançait aussi loin. Le souffle bruyant des chevaux, les aboiements, le son plaintif des cors, le cri des rapaces, tout cela faisait naître en lui une excitation étrange.

Ils allaient vers l'étang bleu, une zone de marécages protégée par un arc montagneux. Les bêtes trouvaient refuge au-delà des eaux. Les manants, munis de bâtons et de crécelles, y rabattaient les errants.

Les pisteurs avaient repéré la présence d'un harpail, troupeau de biches, et d'innombrables traces de sangliers. Mais l'endroit abritait aussi des animaux plus dangereux. Deux ans auparavant, dans l'un de ses halliers, Roderic avait tué un ours, au terme d'un corps-à-corps dont il portait les cicatrices dans le dos.

À quelques centaines de pas de l'étang bleu, les cavaliers ralentirent et se placèrent en ligne, la pointe de leur épieu incliné vers le sol. Autour d'eux, les arbres étaient plus clairsemés. Derrière les hautes herbes, ils apercevaient l'étendue d'eau.

– Gare aux marais ! gronda Baudouin.

L'avertissement s'adressait aux écuyers qui avaient mis pied à terre. Quatre d'entre eux avaient rejoint les archers. Ils prirent pour cible les volatiles qui rasaient l'étang, mais leurs tirs étaient maladroits.

– Économisez les flèches ! tonna Baudouin.

Le petit gibier d'eau ne l'intéressait pas, et il écartait d'un pied méprisant les chiens qui revenaient tout dégoulinants, chargés de gibier à plumes. Comme les autres, le grand chevalier observait le cirque montagneux. Les cavaliers s'étaient espacés, formant un arc de cercle. Entre eux se tenaient les chasseurs à pied, munis de haches, de faux et d'épieux. On lâcha les grands lévriers, tueurs de loups. Un cerf bondit vers la forêt et fut pris en chasse par la meute.

Raoul descendit de cheval pour rejoindre ses compagnons. En le voyant, les femmes le taquinèrent.

– Rapporte-moi un loup, un gris, c'est la couleur de mes yeux, commanda Élise.

Elles riaient, réfugiées un peu à l'écart, sur un haut talus d'où elles contemplaient la chasse. Raoul fit semblant de ne pas entendre. Au milieu de ses compagnons, il ne craignait pas les fauves. Seulement armé de son couteau, il se faufila dans les fourrés. À quelques pas de là, il aperçut un chasseur armé d'un épieu : c'était Guillain.

– Ne te mets pas dans mes pattes ! grogna l'écuyer.

Soudain, ils entendirent un grognement. Guillain recula. Ses talons se prirent dans une racine, et il tomba en arrière en lâchant son arme. Au même instant, un sanglier surgit. Noir, énorme. Il gratta le sol avec fureur avant de charger l'écuyer à terre. Sans hésiter, Raoul poussa un hurlement, pour attirer l'attention du monstre, et ramassa l'épieu. C'était une arme lourde, à la pointe durcie au feu. Délaissant Guillain, le solitaire fonça sur le chasseur qui le défiait. Ses boutoirs, très longs, auraient pu éventrer un ours. Raoul orienta l'épieu vers le monstre, tout en calant l'autre bout de la hampe dans le sol. Le sanglier furieux s'empala sur l'extrémité acérée avec un couinement de douleur. Mais sa blessure, au lieu de le foudroyer,

décupla sa colère. Secouant l'épieu qui le trans-
perçait, il projeta Raoul dans les fourrés.

Durant l'affrontement, Guillain s'était relevé.
Tirant son coutelas, d'un geste vif, il empoigna
le sanglier par derrière et lui trancha la gorge.
La bête s'effondra. Après un dernier soubresaut,
elle resta immobile.

Attiré par le bruit de la lutte, Baudouin
s'approcha des jeunes gens couverts de sang.
Rassuré par leur air victorieux, il apprécia :

– Belle prise ! Mille livres pour le moins.

Pendant que les manants hissaient le trophée
sur un chariot, les femmes vinrent tourner
autour des écuyers.

– Ce n'est pas ce que j'avais commandé ! fit
remarquer Élise en riant.

– S'il faut un loup, je suis là, proposa Guillain.

– Ta fourrure est trop laide, et tes dents sont
bien trop longues ! répliqua la fille.

La chasse avait été bonne. Autour du château, les serviteurs allumèrent de grands feux pour griller les viandes du festin et fumer ce qui devait être conservé. Cependant, la plus grande partie du gibier attendrait plusieurs jours pour être faisandée.

Dans la salle seigneuriale, la table était somptueuse. Roderic avait invité les seigneurs voisins et les moines de Saint-Albrand, qui avaient accepté, car la période de jeûne était finie. Les chevaliers chahutaient Raoul et se moquaient de sa jeunesse. Ils proposaient de l'attacher à une ficelle pour servir d'appât.

– Heureusement que je suis là pour remplir vos grosses panses ! répliqua-t-il.

On le hua. Les dames prirent sa défense. Il riait de bon cœur. Lui, le plus jeune des chasseurs, il avait affronté le plus gros des sangliers. Et il savait qu'on admirait sa hardiesse, même si la bête appartenait à Guillain, car c'était lui qui

lui avait donné le coup de grâce. Suivant la tra-
dition, les serviteurs avaient réservé à l'écuyer le
cuissot, le meilleur morceau.

Tandis que Raoul animait le banquet avec
sa drôlerie coutumière, il vit s'approcher de lui
Guillain, portant une planche sur laquelle était
posé le cuissot. L'écuyer déposa le tranchoir
devant Raoul en disant :

– Pour toi, grand chasseur.

Raoul sourit :

– Partageons !

Le robuste écuyer acquiesça en se laissant
tomber sur le banc à côté de son ancien adversaire. La proposition de Raoul lui convenait :
partager un soir le gibier, et le lendemain les
horions.

11

Les Ardents

Il y avait maintenant plus d'un an que Raoul vivait à Aiglemont. Un automne pluvieux avait succédé à l'été, puis un hiver rigoureux à l'automne. Le sol était si gelé qu'Éléonore avait eu de la peine à entreprendre, comme tous les ans, le voyage qui la menait chez la comtesse de Champagne.

Roderic et plusieurs de ses chevaliers participaient à une expédition punitive contre Hans Dietrich, un seigneur audacieux révolté contre son suzerain, le comte Herbert le Jeune.

En leur absence, Aiglemont semblait endormi.
Raoul maniait l'épée tous les matins à l'école
d'Olwen. Puis il s'occupait de son cheval et de
ses armes. Vers onze heures, ayant terminé, il
était désœuvré, car les corvées ignobles lui étaient
épargnées. Il lui restait une longue journée
d'ennui.

Durant ces quatorze mois de vie rude au château, il avait grandi de dix centimètres et s'était
musclé. Souple, vif, adroit, il était devenu l'un
des meilleurs cavaliers d'Aiglemont. Il possédait
un don unique pour dresser les chevaux. Il leur
parlait, et ils obéissaient. «Sorcellerie!» grom-
melait Baudouin.

«Si Hiram pouvait me voir, il ne me reconnaî-
trait pas», se disait Raoul. Il pensait souvent
à son père durant ces journées d'inaction, se
demandant ce qu'était devenu le médecin. Depuis
le temps, celui-ci devait le croire mort. Raoul
aurait voulu le revoir et le rassurer. Mais il avait

fait serment de ne pas reparaître devant lui avant d'avoir été armé chevalier. Pour le moment, il n'était qu'un simple écuyer, frustré de ses rêves de gloire. «Un tueur apprenti», aurait résumé Hiram.

Dans la mémoire de Raoul, l'homme sévère et intolérant avait cédé la place au médecin généreux qui soignait les pauvres sans exiger le moindre sol et visitait les lépreux abandonnés de tous. À cette évocation, le garçon fut envahi d'une bouffée de tendresse.

Devant lui, la plaine était blanche; le ciel, désespérément gris. Grelottant dans sa fourrure, le fer de son épée collé par le froid à la peau de sa main, il montait la garde dans une forteresse perdue aux confins de la Champagne. Les écuyers et les sergents en faisaient autant. À vingt lieues d'Aiglemont, les Ardents avaient été signalés, et, en l'absence de Roderic, ces manants révoltés pouvaient représenter un danger.

À l'origine, les Ardents n'étaient qu'une bande de serfs affamés qui parcouraient la campagne en pillant les fermes. Les milices de Sens et de Joigny les avaient dispersés, mais les survivants s'étaient regroupés. Des brigands les avaient rejoints. Ils s'étaient armés. Razzo, un prêtre fou, s'était mis à leur tête. Il prétendait que les demeures des riches devaient être brûlées et leurs biens, distribués aux plus démunis. C'est pourquoi les gens les surnommaient les Ardents. Ils avaient incendié deux châteaux, une abbaye, et dépouillé un certain nombre de réserves seigneuriales.

– Au diable, ces manants ! Je vais me coucher, grogna Guillain.

Il quitta le chemin de ronde en compagnie de trois autres écuyers. En les voyant disparaître, Hugues, un vieux sergent, secoua la tête : de son temps, un guetteur n'aurait jamais quitté son poste sans autorisation. Mais on ne pouvait plus rien attendre de la jeunesse !

Raoul lisait dans les pensées de l'homme d'armes. Toute sa vie, Hugues avait servi fidèlement son seigneur. Son corps était couvert de cicatrices récoltées au cours d'innombrables combats. Il n'était pas chevalier et ne rêvait pas de gloire. Il maniait les armes comme un charpentier utilise sa gouge. Il accomplissait son travail, voilà tout. « Un jour, peut-être, je serais comme lui, songea Raoul, un héros pauvre et anonyme. J'aurai beau gagner des combats, nul ne se souviendra de moi. »

Lorsque la nuit vint, il se sentit déprimé, avec l'impression que Roderic l'avait abandonné.

Vers minuit, soudain, un cri le réveilla :

– Les Ardents !

Il crut d'abord à une mauvaise plaisanterie de Guillain. Mais la rumeur guerrière du château le renseigna. Bousculant les écuyers ensommeillés, il bondit sur la terrasse du logis, qui dominait l'enceinte. De la palissade jusqu'aux hauteurs de Meyrieux, la plaine paraissait en feu. En y regardant mieux, il vit que cet incendie était formé de centaines de torches progressant lentement vers Aiglemont.

– Les Ardents !

Le cri retentit de nouveau. Soldats et serviteurs s'affairaient dans la cour, escaladaient les échelles du chemin de ronde. Raoul se rua vers la salle d'armes et attrapa son épée. Puis il enfila ses bottes et sa broigne. Guillain l'avait précédé.

– Les arcs, prenez vos arcs ! ordonna Olwen.

Ils se précipitèrent dehors. Des hommes se heurtaient dans l'obscurité. Des valets battaient les briquets pour enflammer les torches. D'autres puisaient de l'eau et hissaient des seaux au sommet de la palissade.

Des coups faisaient résonner la porte de l'enceinte. Ce n'étaient pas les pillards qui frappaient ainsi, mais les paysans du seigneur, affolés, qui avaient abandonné leurs cabanes et voulaient se mettre à l'abri.

– Ouvrez la porte! ordonna Ancy, qui avait pris le commandement avec Lanval.

Deux chevaliers, un maître d'armes et cinquante hommes, dont huit écuyers: voilà tout ce qui restait pour défendre les cent mètres de l'enceinte de bois. Lanval recruta en vitesse les paysans et les valets les plus robustes et les arma de haches et de faux. Les autres devaient parquer les bêtes, entraver solidement les chevaux et continuer à puiser de l'eau, car il ne faisait aucun doute que les Ardents étaient déterminés à incendier Aiglemont.

Les femmes et les enfants furent enfermés au château.

Olwen disposa les archers sur le chemin de ronde.

– Gardez vos distances, ne vous gênez pas! recommanda-t-il. Vous, les écuyers, renforcez la porte et préparez-vous à la défendre. Il ne faut pas qu'un seul de ces manants atteigne le château.

Cependant les Ardents ne se pressaient pas. Lentement, ils encerclèrent Aiglemont. Bientôt, leurs torches formèrent autour de la forteresse une immense couronne de feu. On aurait dit qu'ils cherchaient à faire étalage de leur force pour impressionner les défenseurs. Cette stratégie portait ses fruits : plusieurs valets tremblaient de tous leurs membres. Raoul vit Eudes fermer les yeux et Amaury se signer furtivement. Lui n'avait pas peur, au contraire. Il était impatient de livrer son premier combat et de prouver sa valeur. C'était la guerre qu'il avait espérée. Enfin !

La discipline des assaillants avait quelque chose d'effrayant. D'ordinaire, les bandes errantes de cette espèce se ruaient sur leur proie en hurlant. Or, après s'être avancés dans un ordre parfait, les Ardents restèrent immobiles et silencieux.

— Ne tirez pas avant mon signal, commanda Ancy.

Ces feux innombrables avaient l'avantage de révéler distinctement leurs adversaires. Le jeune chevalier demanda à ses hommes de masquer leurs propres torches et de s'enduire de suie. Ainsi, les Ardents ne sauraient pas où frapper.

Les ennemis étaient toujours figés dans un face-à-face silencieux lorsque le cercle des pillards s'écarta pour laisser place à un homme en robe blanche.

– C'est Razzo, leur chef, murmura Lanval.

Raoul, qui était monté sur le chemin de ronde après avoir aidé à fixer de lourds madriers derrière la porte, examina le chef de bande avec curiosité. Il était grand, maigre, avec des yeux fiévreux et de longs cheveux noirs retenus par un cercle de fer qui lui donnait un air barbare. Dès qu'il commença à parler, la douceur onctueuse de sa voix fit un contraste étonnant avec son aspect fanatique.

– Gens d'Aiglemont, dit-il, vous ne risquez rien. Ouvrez votre porte et partez. Emmenez vos femmes et vos enfants sur vos chariots. Laissez tout le reste, les vêtements pour habiller mes hommes, la nourriture pour apaiser leur faim, les armes pour les défendre. Après avoir partagé ces biens comme le prescrit Notre Seigneur, nous brûlerons votre château pour le purifier. Vous gagnerez alors le paradis des hommes charitables, au lieu de connaître l'enfer des sans-pitié. Car si vous n'obéissez pas, en vérité je vous le dis, vous brûlerez tous dans ces murs de bois.

Après ce discours, Razzo croisa les bras en attendant la réponse des assiégés. La lueur des torches donnait un air cruel à son visage émacié.

Ancy se pencha vers Hugues, qui était le meilleur archer d'Aiglemont, et murmura :

– Tue-le !

Le vieux sergent ne sourcilla même pas. Il tendit son arme, visa avec soin et tira. Sa flèche frappa le chef des Ardents en plein front. Raoul vit le prêtre fou s'abattre, foudroyé.

Un instant, les pillards semblèrent frappés de stupeur. Puis, brusquement, il se précipitèrent en masse et projetèrent leurs torches par-dessus la palissade avec des cris de haine.

– Tirez, maintenant! cria Ancy.

Les archers d'Aiglemont lâchèrent leurs traits sur les assaillants. Un certain nombre d'Ardents tombèrent, mais ils étaient nombreux. Les vivants remplaçaient aussitôt les morts. Ils entassèrent des fagots de bois sec devant la porte de la palissade et tentèrent d'y mettre le feu. Du haut du chemin de ronde, les valets versaient des seaux d'eau et des paquets de neige sur le bûcher. Dès que le feu s'éteignait, les Ardents jetaient d'autres fagots, inlassablement. Soudain, ils arrosèrent le tas de bois; de grandes flammes jaillirent.

– C'est de l'huile! cria un sergent.

L'eau déversée n'arrivait plus à éteindre le feu. La porte de chêne avait beau être solide, elle commençait à noircir. Les assaillants l'aspergèrent d'huile. Le bois se mit à flamber. D'autres incendies se déclaraient çà et là, sur le logis, dans la réserve à foin. Les hommes couraient un peu partout. La fumée envahissait la cour.

– La palissade ne tiendra plus très longtemps, constata Ancy sans s'affoler. Quand elle cédera, nous prendrons les chevaux et chargerons cette racaille !

Les archers poursuivaient leur œuvre de mort. Plusieurs Ardents tombèrent. Les autres s'acharnaient sur la palissade, au mépris du danger. Soudain, une torche, lancée avec adresse, atteignit Hugues au visage. Le sergent lâcha son arc. La poix enflamma ses cheveux. Raoul arracha un seau d'eau des mains d'un valet et le vida sur la tête d'Hugues. Le vieux sergent s'affala sur le chemin de ronde, les mains pressées sur ses yeux.

Raoul s'empara de son arc. Les Ardents amenaient maintenant un tronc d'arbre taillé en pointe. Vingt hommes le hissèrent sur leurs épaules et l'utilisèrent comme un bélier. Sous leurs coups, la porte en feu craqua et se fendit. Raoul tirait sans répit. Trois autres archers harcelaient comme lui les porteurs du bélier. Leurs compagnons prenaient la place de ceux qui s'écroulaient. Ils foulaient sans pitié les morts et les blessés. Des cris, des blasphèmes et des gémissements montaient de la horde déchaînée.

Raoul lâcha son dernier trait.

– Des flèches! cria-t-il.

Dans les clameurs du combat, personne ne l'entendit. Sous les coups répétés du bélier, l'un des battants de la porte céda. Les flammes jaillirent si haut que les défenseurs du château reculèrent sur le chemin de ronde. Les Ardents poussèrent un hurlement victorieux.

– Aux chevaux, c'est le moment! ordonna Ancy.

Les deux chevaliers et les écuyers se précipitèrent vers les écuries. Raoul se joignit à la petite troupe. Il fallut désentraver et calmer les chevaux affolés. Après avoir réussi, ils sortirent dans la cour. Les Ardents déblayaient l'issue en dispersant le bois enflammé à l'aide de crochets de fer. Face à eux se dressait Olwen, une hache dans chaque main.

– En selle ! cria Ancy. Nous allons piétiner ces chiens.

La barrière de feu était encore très haute lorsque Raoul s'élança. Son cheval sauta au-dessus des flammes et renversa les pillards pris au dépourvu. Sans leur laisser le temps de se ressaisir, le cavalier abattit son épée avec rage. Deux Ardents s'écroulèrent. Un troisième brandit une faux. Raoul se courba sous la lame et frappa l'homme à la nuque. Puis il sortit de la masse ennemie.

La nuit l'enveloppa. Il longea l'enceinte. À distance de la porte, les torches étaient plus rares. Le gros de la troupe s'était massé devant l'entrée. Le cheval de Raoul était noir et lui-même était

enduit de suie. Les ennemis épars voyaient soudain surgir de l'obscurité ce cavalier fantôme,
sans avoir le temps de pousser un cri d'alarme.
L'écuyer frappait comme la foudre avant de
disparaître.

Raoul fit ainsi le tour complet de l'enceinte.
Du côté nord, il aperçut une échelle appuyée à
la palissade. Trois Ardents l'escaladaient. Talon-
nant son cheval, Raoul heurta l'échelle, qui glissa.
Un assaillant tomba; les deux autres s'accro-
chaient aux barreaux. Le cavalier voulut trancher le bois d'un coup d'épée; mais la lame resta
coincée dans le montant, et il perdit son arme. Le
pillard tombé à terre se releva, une torche dans la
main droite, un couteau dans la gauche. Il appliqua la torche sur les naseaux du cheval, qui se
cabra avec un hennissement de terreur. Raoul
tomba à terre. L'Ardent brandit son arme...

L'écuyer se vit perdu. La chute de l'échelle le
sauva. Un assaillant tomba sur l'homme au

couteau, dont la torche s'éteignit. Le cheval s'enfuit. Dans l'ombre, Raoul récupéra son épée. Il entendait les Ardents tâtonner et jurer. L'un d'eux, sans doute blessé au cours de sa chute, gémissait.

Raoul s'éloigna. À pied, il revint vers le lieu du combat. Devant la porte de l'enceinte, une centaine d'hommes se pressaient. Le feu ne brûlait plus. Les cavaliers d'Aiglemont, submergés par le nombre, faiblissaient. Raoul vit tomber Ancy. N'écoutant que son courage, il se rua dans la mêlée. À coups d'épée, il se fraya un passage sanglant vers le chevalier à terre. Dans sa fureur, il sentit à peine les dents d'une fourche l'atteindre à l'épaule. Un coutelas lui entailla le visage. Il embrocha l'homme qui le tenait et dégagea son arme d'un coup de botte.

– Tenez bon, j'arrive ! cria-t-il à Ancy.

À force de frapper, son bras s'engourdissait. Soudain, un bâton ferré lui arracha un cri de douleur. Le sang l'aveugla. Il ne savait plus s'il s'agissait du sien ou de celui de ses adversaires. Il donna un dernier coup d'épée et s'écroula près d'Ancy. Des pieds nus le piétinèrent. Puis de nombreux cavaliers, sortis de la nuit, dispersèrent les pillards. Raoul reconnut Roderic et pensa qu'il rêvait, avant de perdre connaissance.

12

Tout vient du Seigneur

Roderic et ses chevaliers, revenus en pleine nuit, avaient taillé en pièces l'armée des pillards. Ceux qui n'avaient pas succombé pendant le combat avaient été pendus. Les fuyards étaient traqués dans tout le comté. La grande peur suscitée par les Ardents avait disparu.

Le logis était rempli de blessés. Au cours des jours qui suivirent, certains moururent; d'autres guérirent. Raoul fut de ceux-là. Il était fier de ses cicatrices au visage et à l'épaule. Elles prouvaient qu'il s'était bien battu. Ancy racontait la conduite héroïque du jeune écuyer qui lui avait sauvé la vie. Hugues n'était pas en reste, et même Olwen vantait sa conduite. Pour le récompenser, Roderic lui offrit Ovide.

Pourtant, au cours du printemps et de l'été, il ne participa à aucune des expéditions de son seigneur. Son rêve – devenir l'écuyer de Roderic – s'éloignait une fois de plus, et il en concevait de l'amertume.

Aiglemont, vassal du comte de champagne Herbert le Jeune, était reçu à la cour de Troyes. Il y rencontrait le roi de France, Robert le Pieux, et l'empereur de Germanie, Othon II.

La noblesse de Roderic rejaillissait sur son écuyer. Si Raoul venait à conquérir ce titre, il pourrait accéder un jour à la chevalerie. Hélas, Roderic avait déjà un écuyer, un vieux guerrier du nom d'Ordener, qui avait affronté les Sarrasins et les Vikings. Aiglemont s'appuyait sur lui ;

il n'avait que faire d'une recrue de soixante kilos.

Il y avait maintenant presque deux ans que Raoul servait Roderic d'Aiglemont. Son seul titre de gloire était d'avoir tué une dizaine d'hommes qui n'étaient même pas des guerriers, mais de simples manants. En voyant les valets jeter dans une immense fosse, au bas de la vallée, les corps des vaincus, il s'était souvenu des paroles de son père : «Les chevaliers sont des tueurs. Tu es destiné à protéger les vies, pas à les détruire.» Mais, parce qu'il s'était battu, il avait sauvé la vie des femmes et des enfants réfugiés au château, promis à une mort atroce au milieu des flammes.

En attendant de réaliser son rêve, il continuait à s'exercer avec une sorte de rage. Ses muscles s'étaient développés. Il vivait torse nu, et sa peau était brulée par le soleil. Son épaule et ses reins étaient zébré de traits pâles, et sa joue était balafrée. «Plus de cicatrices que de poil!» ricanait Guillain.

– Un vrai champion! se moquait Élise.

– Une vraie commère! ripostait Raoul.

La fille de Baudouin n'avait que seize ans, malgré ses airs de femme, ses allures de chatte, griffes et velours. Tout en se chamaillant sans répit, les deux jeunes gens s'entendaient à merveille.

Raoul ne rechignait plus à monter dans la chambre haute et à subir les caprices des femmes. Il escaladait la charpente pour chasser les grosses araignées qui terrorisaient Élise, ou bien il dansait avec Aude sans se faire prier. Mais son plus grand plaisir était de contempler Éléonore, son sourire et ses cheveux d'or. Parfois, sa fascination le trahissait. Élise le menaçait:

– Nous dirons à messire Roderic que tu es amoureux de sa dame!

Elles riaient toutes. Il haussait les épaules et reniflait avec mépris. Il n'admirait pas seulement

Éléonore pour sa beauté, mais aussi pour son intelligence.

Des religieux venaient parfois rendre visite à la dame d'Aiglemont. Ils étaient envoyés par l'archevêque de Reims, Gerbert, le personnage le plus savant du royaume de France. On disait que le roi Robert avait été son élève, et qu'un jour prochain Gerbert serait pape. Assis au coin du feu, Raoul prenait plaisir à les écouter discourir de musique, d'astronomie, de botanique, ou encore de géographie. Ils s'entretenaient en latin avec Éléonore, et Raoul, qui comprenait cette langue, s'émerveillait d'entendre la jeune femme évoquer des pays légendaires : la Chine, qu'elle nommait empire de Cathay, l'Inde, les routes d'Orient que suivaient les caravanes chargées de soie précieuse, d'épices et d'encens.

Un jour, distrait, Raoul crut que le prieur d'un couvent voisin, Marcellus, s'adressait à lui. Il lui répondit instinctivement dans la langue savante.

— Tu comprends le latin ? s'exclama Éléonore.

— Un peu, avoua Raoul.

— Qui te l'a enseigné ? voulut savoir Marcellus.

— Les moines de Saint-Hilaire de Poitiers, répondit-il en rougissant.

C'est ce qu'il avait raconté à Baudouin et à Roderic. Mais il n'ignorait pas que le religieux aurait moins de peine que les deux seigneurs à se renseigner et à constater qu'il avait menti. Raoul était resté trop peu de temps au monastère pour apprendre le latin. En réalité, il le parlait déjà avant son arrivée. Tout ce qu'il savait, c'était son père qui le lui avait appris. Les moines de Saint-Hilaire le diraient à Marcellus ; ils pourraient même l'informer que le célèbre médecin de Cordoue vivait maintenant à Artines, à moins de trente lieues d'Aiglemont.

Perdu dans ces pensées, Raoul entendit Marcellus demander :

— Qui est ce garçon ?

– L'un de nos écuyers, répondit Éléonore.

Marcellus l'interrogea en latin. D'abord, Raoul fit semblant de ne pas comprendre afin d'éviter de se trahir davantage. Mais Élise le défia :

– Un beau menteur, oui !

– Tiens ta langue, pécore ! fulmina-t-il.

– Agite la tienne, si tu es si savant ! répliqua-t-elle en riant.

Vexé et poussé par le désir de briller devant Éléonore, Raoul, oubliant toute prudence, se mit à parler latin avec aisance ; puis il poursuivit la conversation en grec. Enfin, devant l'expression médusée des femmes, il éclata de rire et utilisa sa langue maternelle, l'arabe.

Témoin d'un tel prodige – car rares étaient les érudits parlant toutes ces langues –, Marcellus se dressa, tout pâle.

– Cet enfant est possédé ! balbutia-t-il.

Raoul se mit à rire de plus belle :

– Si les savants sont possédés, alors vous l'êtes aussi, monseigneur. Je vous ai entendu discourir de choses inconnues, qui dénotent un esprit hors du commun et révèlent une science suspecte.

– Raoul! s'écria la dame d'un ton de reproche.

– Moi, j'étudie depuis plus de quarante ans, bégaya le moine. Il est impossible à un blanc-bec tel que toi de parler toutes ces langues, à moins d'être la proie du démon. Il est d'ailleurs bien connu que c'est le signe même de la possession! Sais-tu aussi écrire?

– Un peu, messire, dit Raoul d'un ton faussement modeste.

Il saisit le parchemin et la plume d'oie que lui tendait le prêtre, et traça d'une belle écriture le texte latin que celui-ci lui dictait. Puis, lorsque Marcellus se tut, il continua à écrire d'un air malicieux.

– Quels sont ces signes étranges? s'étonna Élise, penchée sur son épaule.

– De l'arabe! C'est de l'arabe! s'exclama le religieux, qui était très instruit.

Il traduisit:

– Tout vient du Seigneur, notre Dieu, même la science des hommes.

Éléonore sourit:

– Voici un langage qui n'est pas celui du démon!

Au même instant, une voix sévère s'éleva du seuil de la chambre:

– Te voilà bien savant, pour un petit vagabond!

Raoul sursauta en reconnaissant Roderic, qui l'observait avec ironie. Il maudit alors la vanité qui l'avait poussé à étaler ses connaissances devant Éléonore. À présent, il devrait répondre aux questions de son seigneur...

13

La trahison

Du côté de Quitteray, les Loups de Fer, une bande de pillards menée par un cruel raubritter, chevalier brigand, dévastait la région. Roderic mobilisa six archers et dix hommes d'armes, conduits par deux chevaliers, Roger et Ancy, et deux écuyers, Guillain et Lucas. Cette petite troupe devait rallier celles des cinq seigneurs du voisinage pour combattre les brigands. Raoul lui aussi avait d'abord été désigné pour faire partie de l'expédition ; mais Éléonore ne l'entendait pas de cette oreille. Depuis que le jeune garçon avait fait étalage de ses connaissances prodigieuses, elle exigeait sa présence à toute heure du jour.

Elle le revêtit de beaux habits, lui réserva un lit dans une chambre basse de la tour, et le mobilisa pour traduire et recopier les parchemins religieux que lui confiait l'abbé de Saint-Albrand. Le jeune écuyer n'eut plus le temps de monter à cheval ni de suivre l'entraînement d'Olwen. En le voyant passer dans ses tuniques aux couleurs chatoyantes, ses compagnons se payaient sa tête. Même Baudouin ne l'épargnait pas.

– Le chevalier du vent s'est envolé, disait-il. Il ne reste de lui qu'un beau plumage !

Raoul faisait le sourd, mais il enrageait tout bas. On faisait de lui une sorte de novice, qui risquait de finir un jour dans un scriptorium, l'atelier des moines copistes. Si le caprice de la dame ne cessait pas, jamais il ne deviendrait chevalier.

Il supplia Roderic :

– Laissez-moi aller au combat !

– Tu es trop jeune !

– Je ne l'étais pas quand le château était en danger !

– Tu as encore beaucoup à apprendre.

Cette phrase lui parut ambiguë : ne laissait-elle pas entendre que sa formation dépendait aussi de l'enseignement d'Éléonore ? Il allait protester amèrement lorsque Roderic ajouta :

– Tu escorteras dame Éléonore jusqu'à Troyes pour la foire de Saint-Remi.

Ça, c'était une mission, une vraie ! La Foire Froide, ainsi nommée parce qu'elle avait lieu en automne et durait jusqu'à la Noël, était loin d'Aiglemont, et la route qui y menait était dangereuse.

Toute la semaine, Raoul fourbit ses armes et prit l'air important lorsqu'on le questionnait. Mais, le jour venu, il déchanta en constatant que

Baudouin et vingt cavaliers armés seraient de l'expédition. Éléonore lui demanda de voyager dans l'un des chariots, en compagnie des dames, et elle exigea qu'il fût bien vêtu pour lui faire honneur.

Il se plia à son désir, la mort dans l'âme. Lui qui rêvait de gloire dut se contenter de regarder les chevaliers caracoler autour du véhicule, avec le sentiment désespérant de n'être plus qu'un singe savant.

Cependant, une fois à Troyes, le spectacle de l'immense foire lui fit oublier le déshonneur de sa condition. Une multitude de charrettes, de piétons et de cavaliers, longeant la Seine, se dirigeaient vers une ville de tentes, dressée devant la vieille cité. Malgré le vent du nord soufflant en rafales, Éléonore ordonna aux serviteurs de rouler les bâches qui protégeaient le chariot. Pelotonnées dans leurs manteaux, les femmes purent ainsi contempler l'immense espace marchand, au-dessus duquel claquaient les bannières bleu et argent du comte de Champagne.

– Attendez! commanda Baudouin.

Laure et Élise, qui s'apprêtaient à sauter du véhicule, regagnèrent docilement leur place. Avant de gagner la ville, il fallait trouver un pré abrité pour dételer les chevaux, parquer les chariots et monter les deux pavillons, l'un pour les dames, l'autre pour les hommes. Résider en ville était impossible : les auberges et les logis étaient depuis longtemps loués par les marchands.

Baudouin affecta douze hommes à l'installation du campement et prit les autres pour accompagner les femmes. Le petit groupe, auquel se joignit Raoul, franchit la clôture de la foire et fut pris aussitôt dans un tourbillon de cris, d'odeurs et de couleurs. Les soldats du comte et les gardes de Saint-Remi patrouillaient entre les tentes pour faire régner l'ordre et protéger les visiteurs.

Rassuré par cette présence armée, Baudouin décida de se rendre avec ses chevaliers dans le quartier des armes, qui n'intéressait pas Éléonore et ses compagnes.

– Reste avec les dames, ordonna-t-il à Raoul.

Pour une fois, le jeune écuyer obéit avec plaisir. Resserrant le ceinturon auquel pendait son épée, il examina les passants d'un air farouche. Les étals des marchands, installés de chaque côté des voies, regorgeaient de produits fascinants. Les femmes passèrent rapidement dans les rues aux senteurs fortes réservées aux viandes et aux poissons. Des quartiers de bœuf saignants pendaient à des portiques de fer. Plus loin s'alignaient des tonneaux de harengs et d'énormes morceaux de baleine. Trois rues plus loin, les dames s'arrêtèrent.

– Voici des odeurs plus agréables! s'écria Élise.

Des marchands syriens offraient des poudres, des fards et des parfums rapportés des terres lointaines. Les essences les plus précieuses étaient enfermées dans des flacons de verre et de cristal.

La jeune fille courut vers un jeune Oriental qui versait des gouttes parfumées sur une plume et les faisait respirer à ses clientes.

– Ne t'éloigne pas ! lui conseilla Éléonore.

La jeune fille fit comme si elle n'avait pas entendu. Jaugeant la bourse ronde qu'elle portait à la ceinture, le marchand saisit une fiole au long bec et versa un soupçon de liqueur sur ses cheveux. Élise la respira avec délice en murmurant :

– Ce parfum est divin !

– Pas divin ! s'écria le Syrien en joignant les mains. Kérélé ! Kérélé !

– Me voilà renseignée, dit Éléonore avec ironie. J'ignore ce qu'est ce fameux Kérélé, mais je peux te dire que ton parfum est de l'essence de lavande. Divin veut dire délicieux.

– Délicieux ! répéta le marchand.

Élise présenta ses cheveux à Raoul :

– Qu'en dis-tu ?

Le jeune écuyer approcha son nez des nattes blondes de la fille, puis il prit un air inspiré avant de déclarer :

– J'hésite... entre le hareng et la truite fumée.

Il esquiva la taloche qu'elle lui destinait, s'éloigna de quelques pas, puis se rapprocha en douce tandis qu'elle vérifiait le contenu de sa bourse.

– Cinq pièces, exigea le marchand en écartant les doigts de sa main droite.

Élise compta cinq sous et les lui tendit. Le Syrien secoua la tête :

– Argent.

– Cinq deniers d'argent, précisa Raoul.

– J'avais compris, merci, grommela Élise. C'est un voleur, tant pis pour lui !

Voyant qu'elle était prête à partir, le marchand lui effleura les cheveux en répétant :

– Cinq !

– Cinq boucles de cheveux? Un vrai cadeau!
s'esclaffa Raoul, qui s'amusait comme un fou.

– L'effronté! s'indigna Élise. Il mérite le
fouet!

– Qui ça? demanda Aude. Raoul ou le
marchand?

– Les deux! répondit la jeune fille avec rage.

Elles s'éloignèrent. Le Syrien fit un clin d'œil
à l'écuyer, ravi d'avoir mis hors d'elle la jouven-
celle irascible. Raoul se dépêcha de les rejoindre,
car la foule était de plus en plus dense.

Ils avaient atteint maintenant le quartier des
draps et des toiles, qui faisaient la richesse du
pays. Un peu plus loin, les dames admirèrent les
fourrures et les chaussures en peau. Certaines
venaient de fort loin. Les plus beaux cuirs, de
Damas et de Cordoue.

Poussées par la curiosité, les cinq femmes
se séparèrent. Éléonore s'intéressa aux peaux des
parcheminiers. Aude, Agnès et Laure admirèrent

les draps d'or et de soie venus de Palestine. Élise, elle, s'envola plus loin, dans la rue des orfèvres, tripotant les bracelets, les colliers et les épingles ciselées, que les marchands alignaient artistiquement sur des tréteaux recouverts de tissu pourpre. Dans ces conditions, Raoul était incapable d'assurer sa surveillance. Aussi fut-il soulagé de voir revenir Baudouin et ses hommes. Laissant aux chevaliers le soin de veiller sur Éléonore, il choisit d'accompagner Élise, la plus écervelée. La jeune fille tantôt l'exaspérait, tantôt l'amusait. Ses reparties, ses brusques sautes d'humeur, ses airs de dame offensée et ses émerveillements d'enfant le distrayaient. « Si elle pouvait voir la richesse des boutiques de Séville et de Tolède, elle en perdrait la tête ! » songea-t-il. Soudain, il lui vint l'envie singulière d'être fortuné et de lui offrir tout ce qu'elle souhaitait.

Au milieu des centaines de visiteurs de toutes origines qui le bousculaient, il peinait à la suivre. Jouant des coudes, il se fraya un passage parmi un groupe de Flamands. À quelques pas de là, Élise se penchait sur les ors d'un étal lorsqu'un homme armé d'un couteau s'attaqua sournoisement à sa bourse. Sans hésiter, Raoul bondit sur le voleur. Hélas, celui-ci était robuste. Avant que l'écuyer ait pu dégainer son épée, l'homme l'étendit d'un coup de poing, puis, renonçant à son larcin, il prit la fuite.

Affalé sur le sol, les habits boueux et la bouche ensanglantée, Raoul se sentit ridicule. Il écarta les femmes penchées sur lui et s'en prit à Baudouin, accouru trop tard :

– Que faisiez-vous, avec toute votre armée ?

– Du calme, conseilla le chevalier. Lave-toi plutôt le museau !

– Quand vous aurez lavé l'affront fait à votre fille.

Il se tut sous la menace d'un autre coup, plus redoutable pour ses dents que celui du tire-laine, car Baudouin était ganté de fer.

Le soir, les dames se retirèrent de bonne heure dans leur pavillon. Raoul veilla très tard en compagnie des hommes avant de s'étendre sur son lit de paille. Muet et renfrogné, il n'avait pas touché au repas servi sous la tente d'une des auberges ambulantes qui parsemaient la foire. Il avait voulu se conduire en héros et ne s'était pas montré à la hauteur. Pourtant, ses compagnons ne songeaient pas à se moquer de lui. Ils connaissaient tous sa vaillance. Baudouin lui témoignait une amitié bourrue. Les femmes, elles, ne lui paraissaient pas aussi indulgentes. Les entendant rire, dans le pavillon voisin, il imagina à tort qu'il était l'objet de leur hilarité et se prit à les détester. «Qu'elles se fassent attaquer, je ne lèverai pas le petit doigt pour les défendre!» enragea-t-il.

Le lendemain, il se promena de son côté, laissant à Baudouin le soin de les escorter. Dans l'après-midi, ils repartirent à Aiglemont, sous la pluie. Les toiles du chariot pendaient tristement. Il faisait froid. Éléonore, Laure et Aude étaient emmitouflées dans les fourrures qu'elles venaient d'acquérir. Raoul donna son bonnet à Élise.

– Vous allez attraper la mort, dit la malicieuse. Une tête si bouillante !

– Gardez-le, une tête vide est plus sensible au gel ! riposta-t-il.

– Petit rustre !

Éléonore rappela la jeune fille à l'ordre avec sévérité :

– Sans Raoul, tu aurais perdu ton argent.

– Le voleur était armé et dangereux, dit Agnès.

Aude pressa la main de l'écuyer :

– Tu as été très courageux !

Il refusa le compliment. Sa bouche tuméfiée lui rappelait sa honte. Un manant l'avait terrassé. Il ne serait jamais que le chevalier du vent, et rien d'autre.

Durant les semaines qui suivirent leur retour au château, il prit l'habitude de se lever le premier. Avant l'aube, il se faisait ouvrir la poterne, franchissait l'enceinte et parcourait la forêt sans s'inquiéter des mauvaises rencontres. Il chassait à l'arc ou à l'épieu.

Au retour d'une de ses escapades, un guetteur le prit pour un intrus. Sa flèche lui érafla l'épaule. Lorsque Éléonore apprit l'incident et découvrit l'écuyer lacéré et couvert de bleus, elle se fâcha :

– Tu finiras mal !

– J'étouffe à Aiglemont.

– Nous te trouverons d'autres horizons.

Il se vit chassé du château et n'en éprouva aucune amertume. Il ne demandait pas mieux que de partir pour Ruffy ou Saint-Leu, les tours de guet installées aux limites du domaine. Là-bas, au moins, il mènerait une vie aventureuse et ne perdrait pas son temps à lire les Psaumes ou à enseigner l'arabe à Élise, qui ne savait même pas écrire son nom.

La trahison

Un matin, alors qu'il se glissait sans bruit hors du château dans ses chers vieux habits rapiécés, comme il en avait coutume, Roderic l'arrêta :

– Va t'habiller, nous allons à Reims !

– À Reims ? s'étonna le jeune écuyer.

– Gerbert, l'archevêque, t'a admis dans son école. C'est un grand honneur : Reims est l'école la plus célèbre de la chrétienté.

– Je ne veux pas aller à l'école, mais être chevalier ! protesta Raoul.

– Apprends d'abord ; ensuite, nous verrons, gronda Roderic.

Raoul se mordit les lèvres : Hiram avait dit la même chose, mot pour mot !

– Vous, messire, vous êtes allé dans cette fameuse école ? demanda-t-il.

Aiglemont secoua la tête :

– Je n'avais pas tes dons.

– C'est à vous que je veux ressembler, pas à un archevêque ! s'emporta Raoul.

Roderic réprima un sourire, mais demeura inflexible.

– Habille-toi!

«Tu me trompes, toi aussi! songea Raoul amèrement. Tu as oublié que je t'ai sauvé la vie. Et que fais-tu de tes promesses? Ton école, je la maudis. Je la brûlerai, s'il le faut, mais je deviendrai chevalier, malgré toi, malgré tout. Rien ne pourra m'arrêter!»

14

Gerbert

Si l'archevêque de Reims était un homme impressionnant, ce n'était pas tant par sa stature, fort menue, comparée aux guerriers que Raoul côtoyait, que par l'autorité qui émanait de lui. Les seigneurs et les dignitaires religieux qui l'entouraient lui témoignaient un grand respect. Roderic d'Aiglemont, Louis de Châlons, sénéchal de Champagne, Guibert de Troyes, Ancy de Mons, tous étaient attentifs à ses paroles tandis qu'il évoquait les affaires d'Italie, de Germanie, de France ou d'Espagne. Il semblait connaître le monde entier. Raoul l'écoutait, lui aussi, tout en laissant errer son regard sur les livres et les instruments scientifiques qui encombraient la salle.

L'archevêque ne prêtait pas attention à l'adolescent, et Raoul espérait revenir à Aiglemont sans qu'il soit plus question de sa trop célèbre école. Pour se faire oublier, il s'écarta de l'assemblée et fureta à travers la pièce.

Il s'arrêta devant un curieux ensemble métallique formé de trois sphères pivotant l'une autour de l'autre.

— Sais-tu ce que c'est? demanda soudain Gerbert.

Surpris qu'il s'adresse à lui, Raoul hasarda :

— Un instrument d'astronomie, je pense.

— C'est exact, dit l'archevêque en s'approchant de lui. Peut-être pourras-tu me dire à quoi il sert et comment il fonctionne?

Raoul fit tourner les sphères d'un doigt distrait :

— Je n'en ai aucune idée.

– Aimerais-tu apprendre?

Raoul mit la main devant sa bouche pour étouffer un bâillement:

– Non, je ne crois pas.

– Il veut être chevalier, intervint Roderic.

– Et qu'est-ce qu'un chevalier, selon toi? poursuivit l'archevêque avec sérieux.

– Un guerrier qui combat pour son seigneur en respectant les lois de Dieu.

La réponse avait jailli comme un défi. Gerbert plissa les yeux avec amusement:

– Voilà une belle définition, que je regrette de ne pas voir plus souvent suivie.

Les seigneurs présents se mirent à rire, mais le visage de l'archevêque reprit son air de gravité:

– On te dit très savant, pour ton âge.

Raoul haussa les épaules:

– Pas tellement.

– Vraiment? Pourtant... arrête-moi si je fais erreur. Tu parles le latin, le grec, l'arabe, tu écris ces langues. Peu d'hommes en sont capables. Serais-tu modeste, ou bien voudrais-tu gaspiller les dons que Dieu t'a donnés ?

Comme Raoul, la tête basse, restait silencieux, Gerbert reprit :

– Le savoir n'est pas incompatible avec l'état de chevalier, au contraire.

– Alors, rien ne m'empêche de l'être, répliqua Raoul.

L'archevêque laissa paraître un mince sourire. Puis il fit dévier la conversation :

– Regarde ces livres.

Il poussa Raoul vers un ensemble de tables, reposant sur des tréteaux juxtaposés, sur lesquelles étaient exposés de précieux manuscrits. Raoul ne put s'empêcher d'admirer les images somptueuses qui illustraient ces ouvrages. Certaines représentaient des musiciens, d'autres des animaux fabuleux. On y voyait le roi David jouer de la lyre et Salomon converser avec la reine de Saba.

– Je fais l'acquisition d'une multitude de livres, dit Gerbert. Soit je les achète, soit je les échange. La plupart sont en latin, mais certains sont en arabe, en particulier les traités de médecine et les œuvres des philosophes grecs. Il faut les traduire. Mes élèves que voici, Richer et Fulbert, n'y suffisent pas.

Il montra deux jeunes moines, qui sourirent amicalement à Raoul.

– Tu pourrais nous être très utile.

Raoul poussa un grand soupir :

– Je ne suis qu'un novice, monseigneur. Les œuvres dont vous parlez dépassent mon savoir.

– C'est pourquoi nous t'admettons dans notre école cathédrale, annonça Gerbert. C'est un grand honneur, sache-le. Les enfants de sang princier paient très cher pour y être instruits.

– Je ne suis qu'un pauvre écuyer.

– Aussi, tu n'auras rien à payer. Tu seras nourri, logé et vêtu par nos soins. Tu dois cela à tes dons exceptionnels et à la protection de notre fidèle ami, Roderic d'Aiglemont, ton bienfaiteur.

– Je suppose que je dois le remercier de sa générosité, murmura Raoul, d'un ton qui démentait ses propos.

– Tu le remercieras par ton travail, décréta l'archevêque.

En contemplant la robe de laine blanche immaculée et les belles mains de Gerbert, Raoul songea que cette noblesse était plus cruelle que le gourdin de Guillain. Une nouvelle fois, il était pris au piège. Hiram voulait faire de lui un médecin, et Gerbert, un savant. Il devrait fuir de nouveau. Mais où trouver un autre Aiglemont? Un maître d'armes comme Olwen? Un chevalier aussi valeureux que Roderic? Une dame aussi aimable qu'Éléonore, qui avait remplacé sa mère durant presque deux années? Il maudit le jour où il s'était trahi en voulant briller à ses yeux. Son orgueil l'avait perdu.

Devinant son chagrin, Roderic lui frappa l'épaule:

– Tu reviendras bientôt à Aiglemont. Nous serons fiers de toi.

– À Noël? demanda Raoul avec espoir.

– L'été prochain, en tout cas, dit Roderic en jetant un regard interrogateur à l'archevêque.

«Six mois! calcula l'adolescent. Il se figure que je tiendrai jusque-là!» Il renifla:

– Je crois, monseigneur, que je serai un bon chevalier, mais un très mauvais élève.

– Ce sera à nous d'en juger, dit Gerbert avec sévérité. Voici l'écolâtre Anselme, il sera ton maître. Il t'enseignera d'abord le trivium, c'est-à-dire la grammaire, l'art de raisonner et celui de parler.

Raoul examina le personnage qui s'inclinait servilement devant l'archevêque. Il était maigre, chauve, raide, grossier, et ridé comme une statue de vieux bois. Il le détesta aussitôt, et il sentit naître l'antipathie de l'écolâtre à son égard.

– Tu apprendras aussi le quadrivium, ajouta Gerbert : l'arithmétique, la géométrie, la musique, l'astronomie. Et même la médecine, si tu le désires.

Raoul dévisagea l'archevêque : savait-il quelque chose au sujet de son père, dont la réputation était presque aussi grande en Champagne qu'en Andalousie ?

Il chassa aussitôt cette idée stupide et suivit docilement Anselme qui le guidait vers l'école, sa nouvelle prison.

15
La dispute

L'école cathédrale de Reims comprenait deux types d'élèves : les riches et les pauvres. Les premiers, fils de grands seigneurs, logeaient en ville et étalaient un luxe insolent. Les seconds, comme Raoul, étaient enfermés, vêtus de bure et astreints à un certain nombre de corvées.

On distinguait également les étudiants destinés à devenir religieux et ceux qui resteraient laïcs.

La cathédrale était bâtie en pierre ; l'école, en bois. Cette dernière comportait deux grandes salles de cours, entourées de douze petites salles d'études. Le logis de l'écolâtre était situé à côté de l'atelier où l'on copiait les manuscrits d'auteurs anciens. La bibliothèque de Gerbert était à l'étage.

Raoul fut placé avec les novices destinés à la prêtrise. Comme il s'en étonnait auprès d'un élève, celui-ci ricana :

— Que peut espérer de mieux un rustre tel que toi ?

— Devenir chevalier, répliqua Raoul avec fierté.

Les élèves nobles l'entendirent et se moquèrent de lui :

— Même si on te l'offrait, un cheval ne voudrait jamais de toi.

— La quenouille de sa mère lui servira d'épée !

— Donnez-moi une arme, fulmina Raoul. Je vous montrerai comment on s'en sert !

Les élèves se turent, car l'écolâtre tendait l'oreille. Dès qu'il se fut éloigné, l'un des nobles chuchota :

— Tu veux toujours te battre ?

— Et toi, être rossé ?

— Alors, ce soir, après la classe, devant l'écurie.

— J'y serai, dit Raoul.

Il attendit la fin des cours avec impatience. La grammaire l'ennuyait, et il brûlait de montrer à ces prétentieux ce qu'il avait appris à la rude école d'Olwen.

À l'heure prévue, il retrouva ceux qu'il avait défiés. Il en compta six. La nuit était tombée. Une torche éclairait les lieux.

— Nous n'avons pas d'épée, seulement des bâtons, annonça le plus âgé en montrant une trique de quatre pieds de long.

Raoul tendit la main :

— Ça fera l'affaire.

Aussitôt, il reçut un violent coup sur le bras, tandis que les autres exhibaient à leur tour un bâton et commençaient à le frapper. Comprenant qu'il était tombé dans un piège, il se jeta sur eux avec ses poings pour seule arme. Il étendit celui qui l'avait frappé le premier, mais ensuite une pluie de coups l'obligea à reculer et à se protéger le visage. Il finit par tomber à genoux en grondant :

– Lâches, sales lâches ! Vous me le paierez !

Après l'avoir copieusement battu, presque assommé, l'aîné l'empoigna par les cheveux :

– J'espère que tu as retenu la leçon, mécréant. Sinon, à ton service pour te faire réviser.

Ils l'abandonnèrent en riant. La tête et les bras en sang, le corps couvert de bleus et la robe déchirée, il se dirigea vers le réfectoire. À sa vue, l'écolâtre passa de l'étonnement à la colère :

– L'école est un lieu de paix ! Il est interdit de se battre.

Raoul ne répondit pas. Il toucha à peine à sa bouillie de seigle, mais but plusieurs cruches d'eau, sans parvenir à se désaltérer. Toute la nuit,

il se retourna sur sa paillasse. Il brûlait. Il étouf-
fait. Il haïssait cet endroit prétentieux et sinistre.
Il en voulait à Roderic de l'avoir abandonné et à
Eléonore de n'avoir pas su l'aimer, puisqu'elle
l'avait envoyé dans cette prison.

Au petit jour, il se leva avant la cloche et se
lava à l'eau glacée. Pendant le cours de grammaire, il demeura sombre et absent, refusant de
répondre aux questions de l'écolâtre. Il était si
mal en point qu'on lui épargna le fouet réservé
aux mauvais élèves. Cependant, en voyant les
regards moqueurs de ceux qui l'avaient battu, il
comprit que son attitude pouvait passer pour
de la soumission. Alors, il réagit et prêta attention au discours d'Anselme. Remarquant qu'il
commettait des erreurs, il les releva. L'écolâtre
eut beau le menacer, Raoul lui prouva qu'il se
trompait, cita les auteurs grecs et latins qui
justifiaient ses critiques, et lui fit perdre le fil de
sa pensée.

Anselme l'exclut du cours et l'enferma dans un réduit obscur. Ce châtiment lui donna une idée : s'il se rendait odieux, on finirait par le chasser de l'école. C'était le seul moyen d'en sortir, car songer à s'évader était inutile : la clôture était haute et seuls les nobles étaient autorisés à la franchir librement.

Le lendemain, pour rabaisser son orgueil, Anselme le mit avec les plus petits élèves, qui récitaient le « Dit de l'Enfant Sage ». Il s'agissait de répondre à des questions naïves.

– Qu'est-ce que la vie ? demanda le maître.

Les élèves répondirent en chœur :

– Une jouissance pour les heureux. Une douleur pour les misérables.

– Une torture pour les élèves, ajouta Raoul.

Comme la classe riait, le maître brandit son fouet et cria :

– Silence ! Qui planta le premier la vigne ?

– Noé, dirent les petits.

– Et il a été le premier à boire du vin, enchaîna Raoul. Il était toujours saoul comme un écolâtre et braillait des chansons paillardes !

Cette fois, le maître bondit sur le perturbateur et lui administra trois coups de fouet. Puis, pensant avoir rétabli l'ordre, il reprit :

– Jusqu'à quel âge vécut Abraham ?

– 85 ans, récitèrent les élèves.

– Faux ! dit Raoul : 175 ans.

– Tais-toi ! Sinon..., menaça le maître.

Mais Raoul poursuivit, imperturbable :

– La réponse se trouve dans un livre passionnant, dont je vous conseille la lecture : on l'appelle la Bible.

Au moment où le maître, hors de lui, levait de nouveau son fouet sur l'insolent, un homme retint son bras. Raoul reconnut Richer, le jeune moine que l'archevêque lui avait présenté le jour de son arrivée. Celui-ci emmena Raoul hors de la classe. La porte refermée, il se mit à rire silencieusement. Il avait un visage blond aux joues vermeilles et des yeux clairs pétillants de malice.

– Je vois très bien ton manège, déclara-t-il.

Raoul prit l'air innocent :

– Quel manège ?

– Tu voudrais pousser tes maîtres à bout pour te faire exclure de l'école. Tu n'y arriveras pas, pas comme ça. Les écolâtres savent mater les fortes têtes.

– Tout ce que je veux..., commença Raoul.

– C'est devenir chevalier, je sais, dit Richer en riant. Mais cette école a besoin de toi. Pourquoi ne pas lui accorder ce qu'elle réclame pour obtenir ce que tu veux ?

– Et me retrouver un jour moine comme vous, ou écolâtre ? Non, merci. Je veux combattre avec le bras, pas avec l'esprit.

– Mais c'est l'esprit qui guide le bras, rétorqua Richer.

– Je ne sais pas grand-chose, soupira Raoul.
Je parle quelques langues, connais l'algèbre,
l'optique, la médecine, la pharmacie. C'est tout.
Mais je sais aussi manier l'arc et l'épée.

– Voyons cela, proposa Richer.

– Un duel ? suggéra Raoul.

– Oui, mais moins meurtrier que celui auquel
tu penses. Une dispute, un duel d'idées. Viens...

Richer le conduisit dans une salle où étaient
assemblés des élèves plus âgés. L'écolâtre Arnulf
les regarda entrer, étonné, car il n'était pas
dans les habitudes des moines d'interrompre les
cours. C'était un homme jeune, à l'air ouvert et
intelligent, beaucoup plus agréable qu'Anselme.
Richer s'entretint avec lui à voix basse tandis que
Raoul attendait, indifférent aux regards curieux
ou ironiques des autres étudiants.

– Nous parlions de l'éternité, dit enfin Arnulf.
L'homme peut-il concevoir cette notion en dehors
de l'existence de Dieu ? Raoul, tu soutiendras la

thèse: l'homme est incapable d'admettre l'éternité du monde tout en niant l'existence de Dieu.

Raoul leva les yeux au ciel. Malgré toute la sympathie qu'il éprouvait pour Richer, il n'avait aucune intention de se prêter à cette stupide dialectique pour lui faire plaisir. Il se disposait à tourner l'exercice à la plaisanterie, comme il avait procédé pour la grammaire, lorsque Arnulf pointa le doigt sur un autre écolier:

– Marc, tu développeras l'antithèse: l'éternité du monde est étrangère à l'idée de Dieu.

L'attention de Raoul fut aussitôt en éveil, car le Marc en question était l'une des brutes qui l'avaient assailli à coups de bâton. L'occasion était idéale pour se venger de lui, en attendant mieux. Renonçant à tourner le débat en dérision, il accepta d'y participer et ridiculisa son adversaire par ses connaissances et sa vivacité d'esprit.

Au bout d'une demi-heure, Arnulf interrompit la dispute pour faire la synthèse finale.

La dispute

Il félicita Raoul, qui avait soutenu sa thèse avec l'aisance d'un maître, tandis que Marc, blême, regardait d'un air furieux le jeune garçon qui venait de l'humilier.

Richer avait assisté au débat sans intervenir. Il sourit avec satisfaction, pensant avoir conquis Raoul en flattant son orgueil. C'était mal le connaître !

16

Fausse harmonie

Pour faire semblant d'obéir à Richer, Raoul suivit le parcours scolaire du quadrivium et participa aux cours d'arithmétique, de géométrie et d'astronomie. Au début, il s'était gardé de révéler son savoir, si bien que les étudiants qui ne le connaissaient pas le considéraient comme un garçon insolent et attardé. Les plus âgés se révoltaient : « Tout ce qu'il sait faire, c'est semer le désordre dans nos travaux. Pourquoi on le tolère à l'école ? »

Raoul jubilait, mais ses espoirs étaient toujours déçus. Nul ne songeait à le renvoyer, et on le surveillait de très près. Richer avait prêché la patience : « Il finira par se plier à la discipline. L'acier est moins souple que le cuir, néanmoins on finit toujours par le forger. »

Il y avait quatre mois que Raoul menait sa guerre, tantôt simulant la sottise, tantôt humiliant les meilleurs élèves par son intelligence, quand il fut admis au cours de musique, la quatrième matière du quadrivium.

Albain, le religieux qui en était chargé, lui mit un monocorde entre les mains. C'était une longue planche, munie d'une corde dont les vibrations produisaient des sons différents selon l'endroit où on la pinçait.

– Sais-tu ce que c'est ? demanda-t-il à Raoul.

Celui-ci saisit l'instrument, le secoua, puis le tendit.

– Un arc ? suggéra-t-il d'un air réjoui.

Le maître leva les yeux au ciel avec commisération :

– C'est un monocorde, un instrument génial inventé par monseigneur Gerbert pour permettre à l'oreille de repérer les différentes notes de la gamme. On peut ainsi distinguer les tons, les demi-tons...

– Ce n'est pas lui, le coupa Raoul.

– Que dis-tu? s'exclama Albain.

– Ce n'est pas Gerbert qui a mis au point le monocorde, répéta le jeune garçon avec une patience exagérée.

– Suffit! exigea le moine.

– C'est un philosophe latin, Boèce.

– Je t'ai ordonné de te taire! cria Albain, hors de lui.

– Faites plutôt taire cet instrument! suggéra Raoul en faisant vibrer la corde. Quel bruit affreux!

– Puisque tu es si savant, indique-nous les notes, invita le moine en s'exhortant au calme.

Raoul haussa les épaules:

– Donnez-moi un autre instrument. Dans mon pays, l'Andalousie, la musique est plus amusante. Je parie que vous n'avez jamais vu de luth.

– Moi, je parie que tu n'as jamais vu de fouet! s'emporta Albain.

– Hélas, si, gémit Raoul en se frottant le bas du dos.

Les autres élèves ricanèrent. Ils détestaient ce petit génie, arrogant et farceur, et se délectaient à l'avance du châtiment qu'il allait récolter.

L'écolâtre hésita. Cet esprit rebelle méritait une correction, cependant ses dons étaient si extraordinaires, ses connaissances si étonnantes, qu'il ne pouvait s'empêcher de l'admirer.

– Un savant ne peut pas ignorer la musique, fit-il observer.

– Je ne veux pas être savant, mais chevalier. Combien de fois devrai-je le répéter? soupira Raoul.

– En attendant, tu resteras sur ton monocorde tant que tu ne m'auras pas donné le son, décida

l'écolâtre. Tu n'auras ni à boire ni à manger.
Nous verrons bien!

Raoul se coucha sur son instrument et se mit
à ronfler bruyamment. Le maître entraîna les
élèves, hilares, dans la salle voisine, pour une
leçon d'arithmétique. Raoul demeura seul avec
son monocorde. On l'oublia jusqu'à la nuit.

Vers onze heures du soir, alors que les élèves
dormaient, l'école fut soudain réveillée par un
bruit de cloche insolite. L'écolâtre, ses assistants,
les chanoines de la cathédrale et la plupart des
élèves se précipitèrent vers l'entrée du bâtiment
d'où provenait le vacarme. Là, ils découvrirent
un âne affolé, dont la queue était attachée à
la cloche de l'école. Raoul, muni d'un seau, était
assis à côté de l'animal.

– Que fais-tu? s'écria Albain, indigné.

– Voici votre son, messire, dit Raoul en vidant
le seau rempli de son, que l'âne se dépêcha
d'engloutir.

Tous les élèves explosèrent de rire. L'écolâtre, lui, fut pris de fureur :

– Que faire de cet enragé ?

– Ça mérite le renvoi, lui souffla Raoul.

– Tu serais trop heureux de nous quitter, gronda l'écolâtre. Cinquante coups de fouet, voilà ce que tu auras dès demain. En attendant, le cachot, sans pain ni lumière !

Albert, l'aîné des écoliers, fut chargé de conduire Raoul dans une niche située dans un angle de la cour. Il le fit avec brutalité, car il ne pouvait pas souffrir l'insolent, trop brillant et hardi.

– Laisse la porte ouverte, Albert, supplia Raoul.

Albert ricana :

– Tu veux peut-être que je sois puni à ta place ?

– Nul n'en saura rien.

– Qu'est-ce que j'y gagnerais ?

– Le plaisir de ne plus me voir, chuchota Raoul.

Albert hocha la tête avec un mauvais sourire :
– Après tout, pourquoi pas ? Va au diable !

Il ferma la porte, puis brisa la serrure. Ainsi, nul ne le soupçonnerait d'être complice de l'évasion.

Raoul resta éveillé une grande partie de la nuit, ce qui n'était pas difficile en raison de l'inconfort du réduit. Pour avoir une chance de s'échapper, il devait partir juste avant l'aube, puisque les portes de Reims ne s'ouvraient qu'au lever du soleil.

L'heure venue, il se glissa hors de sa cellule. L'école était endormie. Il traversa la cour déserte, franchit le passage des communs et se dirigea vers l'écurie. Il avait besoin d'un cheval pour s'éloigner au plus vite. « Monseigneur Gerbert me doit bien ça, en échange de tous les supplices qu'il m'a fait endurer ! » pensa-t-il.

Il tira la porte de l'écurie avec précaution. Six chevaux étaient alignés dans les stalles. Il choisit

celui qui lui paraissait le plus résistant, un normand docile. Après l'avoir harnaché, il le sortit
de l'écurie, qu'il referma avec soin. Un chemin de
terre faisait le tour de l'enclos du chapitre. Raoul
le suivit jusqu'au verger, attenant au porche.
Il restait une heure environ avant la sonnerie
de matines et le réveil de l'école. Raoul attacha
le cheval à un poirier et marcha vers la double
porte de chêne. Au-delà, c'était le salut, la
liberté. «Une heure d'avance, c'est tout ce qu'il
me faut», calcula-t-il.

Il commença à faire glisser les barres de bois
sur leurs ergots de fer lorsqu'il entendit un bruit
de pas et entrevit une lueur. Il courut se cacher
sous un groseillier du verger. Le portier passa
devant lui, une torche dans la main droite, un
trousseau de clés dans l'autre. Il gagna le porche
et actionna maladroitement la fermeture du portillon qui jouxtait la porte charretière. Soudain,
l'homme tourna la tête et remarqua avec stupeur

que les barres n'étaient plus à leur place. Abandonnant le portillon, il examina le porche et les alentours à la lueur de sa torche. Puis il s'approcha du verger avec prudence. Raoul retint son souffle : si jamais son cheval se mettait à hennir, le portier ne tarderait pas à déjouer sa tentative d'évasion.

L'homme continua à avancer. Le feu de la torche dansait à travers le feuillage. Quelques pas encore... Il s'immobilisa. Raoul se crut découvert.

17
Terreur

Le portier scrutait la nuit. Raoul s'adressa mentalement au cheval : «Sois gentil, ne fais pas de bruit!» Il eut l'impression que la bête tirait sur ses rênes. Ce n'était qu'une illusion, suscitée par la peur d'être repéré, puni, enfermé, surveillé, de passer des années et des années cloîtré, de dire adieu aux armes et, pour finir, de porter la robe et d'être tonsuré.

– Maudite engeance! grogna le portier.

Il se détourna enfin, retourna vers le porche, fixa la torche dans un anneau de fer et remit les barres en place. Puis il ouvrit la petite porte, reprit sa torche et sortit.

Raoul abandonna sa cachette, courut vers la porte charretière et colla son oreille contre l'un des battants. Les pas de l'homme résonnaient dans les rues désertes : il descendait vers la basse ville. Le fugitif attendit un long moment avant d'ôter de nouveau les barres et d'aller chercher sa monture. « Quelle chance d'avoir choisi un cheval muet ! » se réjouit-il. À cet instant, l'animal poussa un hennissement joyeux. Affolé, Raoul lui serra les naseaux en chuchotant :

– Plus tard, les mots d'amour !

Ils franchirent la grande porte, puis Raoul sauta en croupe. La rue obscure contournait la cathédrale, avant de se faufiler entre des maisons de bois dont l'étage faisait saillie. Raoul suivit le chemin de la porte Notre-Dame. Il traversa une place ornée d'une croix de pierre, vers laquelle convergeaient, en étoile, cinq ruelles sombres. Il choisit celle qui semblait mener à l'enceinte de la cité.

Çà et là, derrière le vitrail ou le parchemin d'une fenêtre, la lueur tremblante d'une chandelle perçait la nuit. Une porte grinçait. Des fers tintaient. La ville s'éveillait. Raoul pressa son cheval. Le normand, qui ne demandait que ça, partit au trot sur la terre battue. De temps en temps, l'avancée des maisons était si basse que le cavalier devait se coucher sur l'encolure du cheval. Un homme, qui sortait de chez lui à moitié endormi, faillit être renversé. Il tendit le poing en proférant des insultes. Raoul était déjà loin.

La ruelle s'inclina. Le fugitif retint sa monture. En contrebas, on apercevait un mur de bois couronné d'un chapelet de torches, l'enceinte de la cité. De là montait une rumeur. Des gens et des bêtes étaient attroupés, attendant l'ouverture de la porte Notre-Dame. Le cheval devint nerveux. Il piaffait et tournait sur lui-même, puis il grattait la terre. Des têtes parurent aux fenêtres, presque à la hauteur du visage de Raoul. Les curieux regardaient le drôle de cavalier vêtu de la robe des élèves de l'école cathédrale.

Soudain, la sonnerie de matines s'éleva d'un couvent voisin, reprise en écho par d'autres clochers, dont celui de l'école sans doute. Dans quelques minutes, les chanoines allaient découvrir le bris de la porte et le vol du cheval, alerter le guet. Pris d'inquiétude, Raoul calcula qu'il avait encore le temps de rebrousser chemin et de remettre la bête à l'écurie. Au même instant, des appels retentirent, mêlés au son d'une cloche plus grêle. On ouvrait les portes de la ville. La foule s'agitait de part et d'autre de l'enceinte. Raoul talonna son cheval.

Les gardes filtraient ceux qui entraient, des paysans venus chargés de paniers, pour la plupart. Les citadins qui sortaient passaient plus librement. Raoul se mêla à leur flot. Comme ils n'avançaient pas assez vite à son gré, il les bouscula, s'attirant des insultes et des menaces. Un homme brandit un bâton et caressa la croupe du normand, qui rua. Un garde fit mine d'arrêter l'étudiant juché sur un cheval trop beau pour lui. Il se contenta de cracher sur le sol. Déjà, Raoul avait franchi la porte. Il contourna le grand feu allumé par les paysans transis et s'élança au galop vers l'ouest. Devant lui, la route était déserte.

Le jeune écuyer se retourna tout joyeux, leva la main et cria :

– Adieu, monseigneur !

Après six heures de voyage, il aperçut Vaurois. Son cheval avait galopé comme un champion. À présent, il était fourbu, et Raoul n'était pas en meilleur état, car il n'avait jamais chevauché aussi longtemps. L'intérieur de ses cuisses, mal protégé par sa robe, était à vif.

Jusqu'alors, il s'était contenté de mettre le plus de distance possible entre lui et ses geôliers. S'il prenait à l'archevêque la volonté de l'attraper, Raoul risquait gros : on pendait les voleurs de chevaux !

Se jugeant hors d'atteinte, il s'arrêta pour réfléchir. Où aller ? Retourner à Aiglemont était exclu : Roderic était capable de le ramener à Reims après l'avoir copieusement rossé. Pousser plus avant vers l'ouest était tout aussi hasardeux : Hiram avait beaucoup de clients dans la région d'Artines. Raoul y serait aussitôt reconnu, dénoncé et repris. Le sud, voilà où il devait se diriger. Mais, auparavant, il devait manger, car il n'avait rien avalé depuis la veille.

Comme il atteignait Vaurois, la route devint encombrée d'une foule de gens qui se pressaient vers les remparts de bois de la petite cité : des paysans, mais aussi des bourgeois montés sur des mules ou des charrettes, et quelques soldats blessés et hagards.

– Que se passe-t-il ? demanda Raoul.

– Les barbares du Nord ! dit une vieille femme en faisant un signe de croix. Ils ont franchi l'Aisne et envahissent le comté.

– Les Vikings ! s'exclama Raoul.

Les pirates n'avaient plus été signalés depuis un an. On prétendait qu'ils se répandaient plus à l'ouest, et voilà qu'ils surgissaient...

– Des milliers d'hommes, précisa un paysan en se signant, lui aussi.

– Une armée de démons ! ajouta un autre, les yeux exorbités. Ils approchent. Si j'étais toi, je me mettrais à l'abri.

– Ils ont pillé Saint-Didier, reprit le premier.

Saint-Didier était une abbaye puissamment fortifiée. Raoul y avait pénétré au cours d'un des voyages d'Hiram. Si cette place forte avait succombé, Vaurois ne tarderait pas à tomber à son tour.

L'adolescent jeta un regard compatissant aux femmes apeurées et aux enfants qui sanglotaient dans les bras de leurs parents. Sa pensée se tourna aussitôt vers Aiglemont. La forteresse, distante de quelques lieues à peine de Saint-Didier, serait l'une des premières à subir l'assaut des hommes du Nord. Malgré son désir de ne pas retourner dans l'école détestée, Raoul décida qu'il ne pouvait pas abandonner ses amis. En cas d'attaque, sa place était parmi eux.

Sans réfléchir davantage, il contourna Vaurois et s'enfonça dans la forêt pour gagner Aiglemont. Son cheval, épuisé, n'était plus en état de galoper. Raoul s'arrêta quelques instants au bord d'un ruisseau pour lui permettre de boire, puis il se désaltéra à son tour.

L'animal soufflait bruyamment, étouffant les rumeurs de la forêt. Raoul poursuivit la route à pied, tirant le normand par la bride. Tout en marchant, il guettait les bruits. Les barbares avaient coutume de se déplacer très rapidement, mais ils traversaient rarement les forêts. Le plus souvent, ils suivaient le cours des rivières et le fond des vallées.

Il se remit en selle et reprit la route à travers les fourrés. Il arriva au château avant le crépuscule.

Lorsqu'on aperçut le cavalier, un cor retentit.

– C'est le chevalier du vent! annonça le sergent qui commandait la herse.

Aussitôt, Guillain surgit, réjoui:

– Voici les renforts que nous avons réclamés!

– Les Vikings ont passé l'Aisne, ils approchent! s'écria Raoul en sautant de cheval.

La bourrade amicale de Guillain faillit le projeter à terre.

– Messire Roderic a rejoint l'armée du comte Herbert, qui se porte à la rencontre des barbares.

– Et nos compagnons?

– Baudouin et tous les chevaliers sont avec lui. Il reste trente hommes et le vieil Olwen pour défendre Aiglemont. Trente et demi, maintenant que tu es là.

Raoul serra les poings:

– Je n'ai pas envie de plaisanter!

– Moi non plus, répliqua Guillain.

Tandis qu'ils discutaient, Éléonore sortit du donjon, entourée de ses amies.

– Raoul! s'écria-t-elle. Que fais-tu ici?

– J'ai appris l'invasion. Ma place est parmi vous.

Le visage de la dame trahit un soupçon:

– On t'a laissé partir?

– Comment me retenir lorsque mon seigneur est en danger?

La réponse était noble, et, sur le moment, Éléonore sembla s'en contenter. Devinant que l'écolier n'avait rien mangé, elle lui fit servir du pain et du poisson fumé. Cependant, dès qu'il fut rassasié, elle poursuivit son interrogatoire :

– À qui est le coursier que tu chevauchais ?

– Un don de monseigneur.

– L'archevêque est bien généreux, constata Élise avec un petit sourire sceptique.

– Je l'ai aidé à traduire ses précieux manuscrits.

– Et tu enseignais l'arabe ?

– De temps en temps.

Il s'enferrait dans ses mensonges, mais Éléonore avait la tête ailleurs :

– Par où es-tu venu ?

– Vaurois.

– C'est au nord ! s'exclama-t-elle.

– J'ai rencontré de pauvres gens qui fuyaient les barbares.

– Et l'armée du comte, tu l'as vue ? voulut savoir Laure, inquiète à la pensée de Lanval.

– Pas de soldats, non, seulement des paysans chassés de chez eux.

Il omit de parler des guerriers blessés, mêlés aux fugitifs.

– Maintenant que tu es ici, tu y restes! décréta Éléonore.

Il suggéra timidement:

– Messire Roderic a peut-être besoin d'un écuyer?

– C'est le rôle d'Ordener.

– Ou bien d'un messager?

– Ta place n'est pas au milieu des guerriers! s'emporta la dame. Tu restes ici, entends-tu?

Raoul baissa la tête et songea avec amertume qu'elle avait oublié son combat contre les Ardents.

– J'ai besoin de toi au château, ajouta-t-elle d'une voix radoucie, comme pour se faire pardonner sa sévérité.

Raoul haussa les épaules:

– Pour tenir votre écheveau!

– Pour tenir les remparts!

« Mensonge ! pesta-t-il intérieurement. Aiglemont n'a que faire d'un écuyer. C'est à la guerre que je pourrai mettre en pratique ce que m'a enseigné Olwen. »

Aussitôt, sa décision fut prise : il partirait cette nuit même. Il se retira sous prétexte de se reposer, et alla préparer en douce ses armes et seller Ovide. Mais, lorsqu'il voulut franchir la herse, le sergent le refoula : la dame d'Aiglemont, méfiante, avait donné des ordres. Il rebroussa chemin sans protester et alla trouver Guillain :

– Aide-moi à sortir d'ici.

– Pour aller où ?

– Vers le nord.

L'écuyer renifla avec mépris :

– Tu es bien pressé de mourir !

– Pressé de combattre.

– Les Vikings ne feront qu'une bouchée de toi.

– Souviens-toi que je t'ai sauvé la vie, dit alors Raoul.

Guillain laissa échapper un mouvement de colère :

— Raison de plus pour protéger la tienne.

Raoul se fit suppliant :

— Tu sais ce qui va m'arriver si tu ne m'aides pas ? Je finirai mes jours dans un monastère, au milieu des barbes blanches et des vieux grimoires. Ce n'est pas ma destinée. Je veux être un guerrier, comme toi, manier le fer, pas la plume d'oie. C'est cela, la vraie noblesse !

Flatté, Guillain faiblit :

— Si jamais la dame apprend que je suis ton complice, et s'il t'arrive malheur, elle me fera écarteler !

— Chacun son péril ! dit Raoul en riant.

Il dut attendre l'aube pour se glisser hors de l'enceinte, avec la complicité de Guillain, tandis qu'Eudes et Lucas détournaient l'attention des guetteurs. Parvenu à la lisière de la forêt, il obliqua vers la Table de Hel, de sinistre mémoire.

On était en été, et la traversée du plateau se fit cette fois sans encombre. Au-delà, les villages étaient vides et les champs, déserts. Les habitants avaient fui, les uns vers les villes du sud, les autres au sommet des montagnes.

Raoul passa la nuit dans une ferme abandonnée. Il dormit peu, la main droite sur son épée, la gauche sur son poignard, redoutant à chaque instant de voir surgir les barbares.

Le lendemain, au bout d'une heure de route, il aperçut les premières ruines. C'étaient surtout des édifices religieux. Certains fumaient encore. Il chevaucha une partie du jour à la recherche des armées, sans rencontrer âme qui vive. Il se guidait au soleil et se nourrissait de fruits trop mûrs, cueillis dans des vergers à l'abandon.

À force d'errer sur ces terres désertées, il crut s'être égaré. Il avait parcouru tant de lieues qu'il aurait dû atteindre l'Aisne depuis longtemps. Or devant lui des champs et des forêts s'étendaient à perte de vue. Un paysage silencieux et menaçant. Les Vikings devaient être encore là. Les pierres brûlantes des églises incendiées trahissaient leur présence récente. Le jeune écuyer chevauchait avec prudence, prêt à s'enfuir au galop à la moindre alerte.

Vers le soir, il atteignit une rivière. Comme il faisait boire son cheval en surveillant les alentours, à quelques mètres de lui, les fourrés remuèrent, une branche craqua... Il tira son épée, persuadé qu'un barbare était là, prêt à fondre sur lui.

18

La forêt sacrée

La peur au ventre, Raoul bondit sur le buisson dissimulant son adversaire. Mais, derrière la
végétation, à la place du Viking qu'il s'apprêtait
à affronter, il aperçut une fillette blonde de trois
ou quatre ans. Ses grands yeux bleus dévisa-
geaient le jeune garçon sans la moindre frayeur.

– Tu es chevalier? demanda-t-elle.

Raoul remit son épée au fourreau et prit une
grosse voix pour demander:

– Qu'est-ce que tu fais ici?

– Je cherche mon chien, répondit-elle d'un air
désolé.

– Tu es toute seule?

– Oui.

Ses cheveux étaient emmêlés et son bliaud
déchiré, pourtant elle ne semblait pas avoir souf-
fert de la férocité des envahisseurs

– Où sont tes parents?

Elle gonfla les joues et écarta les bras:

– Sais pas.

– Où tu habites?

Elle refit la même mimique, puis elle secoua ses
boucles blondes comme s'il s'agissait d'un jeu.

– Comment tu t'appelles?

– Marie. Et toi?

– Raoul.

– Ce n'est pas un nom de chevalier, décréta-
t-elle.

Brusquement, elle sortit du buisson et courut
vers le cheval en riant. Elle leva les bras très
haut pour atteindre ses naseaux. Le grand coursier souffla bruyamment et gratta le sol, mais

laissa les petites mains le caresser sans chercher à les mordre.

– Je peux monter sur ton cheval? demanda la fillette.

Il la saisit par la taille et la mit en selle en décidant:

– Nous allons chercher tes parents.

– Et Émir? dit-elle.

– Qui est Émir?

– Mon chien.

Menant le cheval par la bride, il traversa la rivière et escalada la berge tandis que l'enfant, accrochée à la crinière, criait:

– Hue! Hue!

À en juger par l'état de ses pieds nus, elle n'avait pas dû marcher bien longtemps. Il chercha donc aux alentours; en vain: la campagne était toujours désespérément vide. On n'entendait que le cri des corbeaux et, par moments, le bruit léger du vent dans les arbres. La nuit venait. De gros nuages masquaient le soleil du crépuscule. La pluie commençait à tomber. Il fallait trouver un abri.

– Tu ne te souviens de rien ? demanda-t-il à la petite.

Il s'aperçut alors qu'elle s'était endormie, couchée en avant, la tête enfouie dans la crinière du cheval. Il se hissa doucement en selle et la maintint entre ses bras. En même temps, il la protégeait de la pluie.

Il était à la fois attendri et exaspéré. Non seulement il était incapable de trouver l'armée champenoise, mais il devait maintenant s'occuper d'une enfant !

« Tu es plus doué comme nourrice que comme chevalier », pensa-t-il avec dépit.

Il finit par repérer une cabane de berger, à côté d'une ruine recouverte de lierre. Il déposa Marie endormie sur la paille et s'allongea à côté d'elle.

Ce fut l'enfant qui le réveilla. Le soleil était levé, la pluie avait cessé. L'air était froid et humide.

– J'ai faim, dit-elle.

Il regarda le visage confiant de la fillette, qui attendait de lui l'impossible. Car il n'avait rien remarqué de comestible autour de la cabane. Il se força à sourire :

– On va ramasser des fruits sauvages.

Hélas, la forêt voisine n'était que broussailles. Décidant de poursuivre sa route vers le nord, il allait se remettre en selle lorsqu'il entendit un bêlement. Une chèvre sortit d'un pré et s'avança vers eux. En voyant ses mamelles gonflées, Raoul frappa dans ses mains :

– Voici ton déjeuner !

Il s'appliqua à traire l'animal, recueillant le lait dans un tesson de poterie. Comme elle buvait goulûment, il recommanda :

– Fais attention de ne pas te couper.

Elle riait de plaisir. Le lait coulait sur sa bouche et son bliaud.

– Qu'est-ce que je vais faire de toi? murmura-t-il.

Il devait trouver une femme. Elle prendrait soin de la petite fille, et il pourrait continuer sa chevauchée. Devinant peut-être qu'il songeait à l'abandonner, elle vint lui prendre la main.

Il lui caressa les cheveux:

– Allez, nous partons.

Il la hissa sur sa monture. Ravie, elle se mit à chanter. Il posa un doigt sur ses lèvres:

– Chut! Les barbares vont t'entendre. Les Vikings sont des hommes très méchants.

Sans s'émouvoir de ses menaces, elle chanta de plus belle, et il renonça à la faire taire.

– Si je te ramène à Aiglemont, Guillain n'a pas fini de se moquer de moi. Ça t'amuse, toi aussi, petite diablesse!

Au bout d'une lieue, il aperçut une colline, dont le sommet dénudé et entouré d'une couronne de forêt faisait penser à un crâne chauve. L'endroit était idéal pour observer la région. En s'avançant sous le cercle d'arbres, il sauta du cheval et tira son épée.

Il régnait là une atmosphère étrange. Tout autour de lui, le feuillage frémissait, les branches gémissaient et craquaient, alors qu'il n'y avait pas le moindre souffle de vent. La forêt était vivante! Ses chênes gigantesques semblaient dater de l'origine du monde.

Marie avait cessé de chanter. Sourire aux lèvres, elle écoutait la mystérieuse musique. On aurait dit que des dieux habitaient là. Leur respiration était à la fois attirante et effrayante.

La main crispée sur la poignée de son épée, Raoul se demandait si cette forêt abritait les anciennes divinités gauloises dont l'écolâtre de Reims avait raconté les rites sanglants, ou bien les dieux nordiques qui accompagnaient les envahisseurs.

Empli d'une terreur mystique, il allait rebrousser chemin lorsque le feuillage s'ouvrit, et une créature toute noire se laissa glisser à terre. Une deuxième tomba à sa droite. Puis d'autres encore, tout autour de lui. Ce n'étaient pas des dieux, mais des hommes farouches, armés de bâtons et de massues hérissées de pointes.

Il était pris au piège.

19

La source

Les hommes qui encerclaient Raoul n'étaient pas des Vikings. Ils n'avaient ni la peau blanche ni les cheveux blonds, mais ils semblaient tout aussi dangereux que les barbares du Nord. Comme il bondissait sur son cheval, une main rude l'arracha de sa selle et le renversa sur le sol. Une botte lui écrasa le poignet, l'obligeant à lâcher son épée. Une main le délesta de son poignard. Il perçut l'éclat d'une hache et ferma les yeux. Cependant, au lieu de lui assener le coup fatal, on le libéra. Une voix cria :

– Marie !

Un homme barbu, le plus robuste des êtres mystérieux qui cernaient Raoul, se précipita vers la fillette et la prit dans ses bras :

– Où étais-tu ?

Marie riait, les mains enfouies dans la barbe noire de celui qui devait être son père. Les autres s'écartèrent pour permettre à Raoul de se relever. Malgré leur air féroce, ces gens n'étaient pas des barbares. De simples paysans, à l'évidence.

– Qui es-tu ? demanda l'homme qui portait Marie.

– L'écuyer du seigneur Roderic d'Aiglemont.

Il tendit une main impérieuse pour récupérer son épée et son poignard. Les forestiers rechignèrent à les lui restituer. À l'exception d'une hache, ils n'étaient armés que de bâtons, de massues et de houes de bois. Raoul savait qu'aux yeux de ceux qui travaillaient le sol, le fer était aussi précieux que l'argent. Ses armes, sorties de la forge d'Aiglemont, étaient pour eux de vraies richesses.

Le père de Marie fit un signe de la tête : aussitôt, on lui rendit son épée et sa dague.

– Raoul! cria la fillette, devinant qu'il allait partir.

– C'est ton nom ? dit l'homme.

Il mentit :

– Raoul d'Aiglemont, oui.

– Où as-tu trouvé ma fille ? s'enquit le forestier en déposant Marie sur le sol.

Raoul fit un geste vague vers le sud :

– Près de la rivière.

– Et où vas-tu ainsi ?

– Rejoindre mon seigneur et l'armée de Champagne, dit Raoul en remettant son épée au fourreau. Sais-tu où sont les hommes du Nord ?

Le forestier secoua la tête :

– Ils sont insaisissables. Ils jaillissent durant la nuit, pillent, incendient et disparaissent aussitôt.

— Des diables! dit un autre en crachant sur le sol.

— Ils se déplacent sur le fleuve.

— L'Aisne?

— L'Aisne, oui. Leur camp est plus à l'ouest, à la fourche de deux rivières. Ils surgissent de la grande mer salée. Chaque printemps, ils reviennent.

— Le comte Herbert les chassera, dit Raoul avec assurance.

— Encore faudrait-il les trouver! ricana un forestier.

— Pourquoi ne pas venir avec moi? suggéra Raoul.

— Nous défendons notre forêt, c'est déjà bien. On voit que tu n'as jamais rencontré de Vikings! grogna le père de Marie.

— Non, mais j'en verrai bientôt. Indiquez-moi le chemin.

Le chef des forestiers joua distraitement avec les boucles blondes de la fillette:

– À deux lieues vers le nord, tu trouveras le fleuve. Il te suffira de suivre son cours vers le couchant. Mais nous n'avons pas aperçu de soldats, pas plus ceux de Champagne que ceux de Blois. Si tu es en danger, reviens ici. Nous vivons dans les chênes. Les barbares respectent cette forêt, j'ignore pourquoi. Tu y seras en sécurité.

– Je reviendrai, promit Raoul en se mettant en selle.

En sortant de la forêt, il se retourna. Les forestiers avaient disparu, excepté le chef. À côté de lui, Raoul vit une jeune femme aux cheveux tressés qui serrait Marie contre sa hanche. La mère et l'enfant agitèrent la main pour lui dire adieu. Il fit signe à son tour et se lança au galop dans la direction indiquée. Il brûlait d'impatience de retrouver les siens, les guerriers, la race noble dont il voulait faire partie.

Des nuées sombres couraient dans le ciel, pareilles à d'épaisses fumées. Il croyait sentir l'odeur âcre des incendies et celle, écœurante, de la graisse bouillante qu'on lançait sur les assaillants. Cependant, le pays semblait désert. Il retint son cheval. Les nuages étaient de plus en plus bas. Ils se déchiraient et se heurtaient en silence comme une armée de fantômes.

Depuis trois jours, il errait, poussé par le vent, à l'instar de ces nuées. La guerre se déroulait sans lui, quelque part, loin de là peut-être. Il songea avec dépit qu'il arriverait trop tard, sur un champ couvert de morts ou bien au milieu d'une armée triomphante.

«Mon Dieu, aide-moi!» murmura-t-il en frappant sur son épée. Comme il formulait sa prière, il aperçut une source. C'était un filet d'eau, filtrant du sol et emplissant une vasque rocheuse. Ce cercle limpide lui fit penser à la pureté du baptême, le bassin d'eau sacrée où étaient plongés ceux qui voulaient devenir chrétiens. «Un signe céleste», se dit-il. Il mit pied à terre, trempa la main dans la vasque et but. L'eau était délicieuse. Il repoussa son cheval, de crainte de voir l'animal souiller la source, et lui donna lui-même à boire dans ses deux mains réunies en conque.

À l'instant où il s'agenouillait de nouveau pour recueillir l'eau, il perçut un bruit de métal et surprit un reflet dans le miroir de la source, celui d'un géant, casqué et vêtu d'une cuirasse d'écailles, qui levait sur lui une hache de guerre.

20

Le dieu de la guerre

Un Viking !

Raoul bondit sur le côté. Le fer le frôla. Déséquilibré, le géant s'abattit dans l'eau avec un hurlement féroce. Sans perdre une seconde, Raoul se rua vers sa monture, qui, effrayée, s'était écartée de la source. Déjà, le Viking se redressait. À son cou pendait un collier composé de trophées sacrés : croix et ciboires d'or et d'argent.

Aussitôt en selle, Raoul s'élança au galop. Il distança aisément son agresseur ; mais d'autres barbares surgirent. Ils sortaient des champs ou sautaient des talus. Presque tous étaient à pied. Une flèche effleura la nuque de Raoul. Un javelot se planta devant les pattes du cheval, qui fit un écart et faillit désarçonner son cavalier. Les pillards étaient partout.

Grâce à la vitesse de son coursier, Raoul réussit à leur échapper. «Pas si dangereux que ça, tant qu'ils seront à pied et moi, à cheval!» se répétait-il pour se rassurer. Cependant, il était obligé de fuir, alors qu'il avait rêvé de les chasser du pays.

Il poussa sa monture vers une hauteur. Avant de parvenir au sommet, il perçut des hurlements et le fracas des armes. Une bataille avait lieu de l'autre côté de la colline! Il talonna son cheval, et soudain tout lui apparut: le ruban argenté du fleuve et la vaste plaine, où les tuniques bleues des cavaliers champenois se mêlaient aux fourrures sombres des barbares. Aux trompettes des soldats de Champagne répondaient les cors des envahisseurs.

L'issue de la bataille paraissait indécise. Pourtant, on voyait les pillards refluer vers le fleuve, où les attendaient trois longs bateaux munis de rames. À la proue se dressaient des têtes de serpent sculptées dans du bois teinté de rouge, monstres hideux destinés à effrayer les divinités des pays ennemis.

Au milieu de la mêlée, Raoul chercha la haute silhouette de Roderic, mais ne la trouva pas : les ennemis combattaient dans un vaste champ de blé dont les épis dorés masquaient en partie hommes et cavaliers.

Brusquement, une cinquantaine de pillards armés de haches et d'épées surgirent d'un rideau d'arbres, au bas de la colline, et prirent les Champenois à revers.

– Attention ! hurla Raoul.

Son cri se perdit dans le vacarme de la bataille. Sans hésiter, il s'élança sur la pente. Enfin ! Il allait pouvoir affronter de vrais guerriers, risquer sa vie, prouver son courage !

En atteignant la vallée, il tenta une dernière fois de repérer Roderic. En vain. Au milieu de la mêlée, son coursier se cabrait, et le jeune écuyer avait toutes les peines du monde à le maîtriser.

Tirant son arme, il força son cheval à avancer. Devant lui, un Viking se préparait à pourfendre un chevalier chrétien, tombé à terre. Raoul l'attaqua en hurlant. Le casque du pillard dévia la lame du jeune écuyer. Le barbare se retournait contre son agresseur quand le chevalier au sol le frappa aux jambes. Le Viking chancela. Raoul abattit de nouveau son épée et l'atteignit cette fois à l'épaule. Sans s'attarder, il poussa sa monture vers les cavaliers bleus, enfouis à mi-poitrail dans la blondeur saccagée du blé.

Dans cette tourmente, il aperçut enfin celui qu'il cherchait : un chevalier tout de noir vêtu, dont la longue épée faisait des ravages dans les vagues barbares.

– Roderic !

À l'instant où Raoul entrait dans le champ, un pillard surgit devant lui. Instinctivement, il se coucha sur son cheval et pointa son épée sur l'adversaire. Cependant, au lieu d'attaquer le cavalier, le Viking frappa le cheval. Raoul ressentit avec horreur le puissant coup de hache qui abattit Ovide et le précipita en avant. Il s'écroula au milieu des épis, qui, en l'enfouissant, le dérobèrent à la vue de son agresseur et lui sauvèrent la vie.

Au bout de quelques instants, il se releva tout étourdi. Il avait perdu son épée et son cheval, mais il était en vie. Son ennemi avait disparu.

Les cavaliers bleus, pourchassant leurs ennemis, s'étaient éloignés. Sur la rive, les Vikings, vaincus, prenaient le large. Les archers champenois décochaient sur eux des flèches enflammées pour incendier leurs vaisseaux.

Raoul traversa le champ dans un brouillard rouge, car son front entaillé au cours de sa chute saignait abondamment. Au bord du fleuve, il ne restait plus qu'un vaisseau barbare. La flottille s'éloignait à grands coups de rames. À l'arrière du bateau encore attaché à la rive se dressait un immense Viking coiffé d'un cercle d'or. C'était le chef des barbares. Immobile, appuyé sur un épieu à la pointe de fer, il semblait indifférent aux flèches qui s'abattaient sur lui. Raoul crut voir Odin, le dieu de la guerre vénéré par les envahisseurs. Malgré lui, il fut saisi d'admiration devant sa beauté et sa hardiesse.

Le géant resta impassible jusqu'à ce que ses guerriers fussent montés à bord. Le dernier trancha l'amarre d'un coup de hache. Les autres repoussèrent le vaisseau vers le milieu du fleuve avec leurs avirons.

Sur son cheval couleur de nuit, Aiglemont regardait les Vikings quitter la terre qu'ils avaient pillée. Ils laissaient derrière eux des ruines et des victimes, mais aussi un grand nombre de guerriers morts au combat. Les plus valeureux d'entre eux iraient au Walhalla, le paradis des héros que tous rêvaient d'atteindre.

Raoul admirait son seigneur, qui avait conduit les cavaliers du comte Herbert à la victoire.

– Messire Roderic! cria-t-il.

Aiglemont se retourna. Sous son casque, son visage exprima la stupeur lorsqu'il reconnut le jeune écuyer qui s'avançait vers lui en agitant joyeusement la main. Comme il descendait de cheval, le chef viking, dont le bateau s'écartait peu à peu du rivage, brandit son épieu et visa le chevalier noir. Roderic, le dos tourné au barbare, offrait une cible parfaite.

21

Le sacrifice

Le Viking était trop près pour manquer son ennemi. Raoul se précipita, ramassant au passage un bouclier. L'épieu vola dans l'air. Raoul se jeta devant Roderic en dressant son bouclier de bois recouvert de cuir. La pointe de fer le traversa et perça la poitrine du jeune écuyer. Sous le choc, Raoul, projeté en arrière, tomba aux pieds d'Aiglemont.

En un éclair, Roderic vit le chef viking, le bras toujours levé, et le jeune garçon étendu sur le sol. Réalisant le sacrifice de l'écuyer, il s'agenouilla auprès de lui et le prit dans ses bras. Raoul était inconscient. Roderic le crut mort. Il arracha l'épieu avec rage et le jeta au loin avec le bouclier. Lorsqu'il déchira la tunique de Raoul, il découvrit une profonde blessure, d'où le sang jaillissait. Il comprima la plaie avec les lambeaux du vêtement. Le blessé respirait faiblement.

– Aidez-moi! hurla Aiglemont.

Personne ne l'entendit. Mêlés aux soldats du comte de Champagne, ses chevaliers criaient leur joie en regardant s'éloigner les bateaux ennemis. Pour la première fois depuis le roi Charles le Chauve, petit-fils de Charlemagne, ils avaient vaincu les terribles Vikings! Certains se penchaient sur les trésors abandonnés par les pillards au cours de leur retraite.

Apercevant une bâtisse au bord du fleuve, Roderic souleva le blessé et le porta jusque-là. La masure était déserte et misérable. À l'intérieur, Roderic trouva une paillasse, sur laquelle il étendit Raoul. Le blessé gémissait. Aiglemont joignit les mains.

– Mon Dieu, supplia-t-il, sauvez-le et prenez ma vie en échange !

Comme si le ciel voulait exaucer sa prière, un moine pénétra dans la maison. C'était un très vieil homme qui vivait là en ermite.

– Je vous ai aperçus, vous et l'enfant, dit-il.

Il s'approcha du blessé, écarta le pansement et examina la plaie, qui saignait abondamment. Puis il posa la main sur son front. Après quoi, il sortit sans un mot. Quand il revint, quelques instants plus tard, trois hommes l'accompagnaient. Roderic reconnut des chevaliers d'Aiglemont.

– Où étiez-vous, pendant que cet enfant me sauvait la vie ? lança-t-il durement.

Les hommes baissèrent la tête.

– Seigneur, nous ignorions ce qui se passait, grogna Baudouin, qui était l'un d'eux.

Le moine alluma du feu et fit bouillir de l'eau dans une marmite. Il ajouta des herbes qu'il était allé cueillir, puis il les mêla au limon du fleuve. Il appliqua ce cataplasme de fortune sur la blessure et la comprima de toutes ses forces.

— Pour arrêter l'hémorragie, il faudrait cautériser la plaie au fer rouge, dit-il. Hélas, la blessure est trop proche du cœur : l'enfant n'y survivrait pas.

— Alors, que peut-on faire ? s'impatienta Roderic.

— Prier, dit le moine en s'agenouillant.

22

Le chant de mort

Le soir, la fièvre se déclara. Le corps de Raoul se mit à brûler. La plaie était rouge et enflée. De temps à autre, le blessé balbutiait des paroles sans suite. Dans ce délire, un mot revenait souvent : « Hiram ! »

– Que veut-il dire ? demanda le moine.

Roderic haussa les épaules, accablé :

– Je l'ignore. C'est de l'arabe, sans doute. L'enfant vient d'Espagne.

Pour fêter leur triomphe, les soldats avaient allumé de grands feux au bord du fleuve. Les paysans arrivaient en foule avec des victuailles et du vin, en remerciement de leur délivrance. Ensemble, ils festoyaient et chantaient.

Roderic aurait voulu les faire taire. Si Raoul venait à mourir, il haïrait cette victoire. À l'instant de le perdre, il réalisait à quel point il aimait l'enfant qui lui avait par deux fois sauvé la vie.

Interrompant son festin, un homme vêtu d'un manteau bleu brodé d'argent vint saluer Roderic. C'était Louis de Châlons, le sénéchal du comte de Champagne.

— Messire d'Aiglemont, dit-il, sans vous et votre vaillance, nous aurions été vaincus. Vous avez sauvé le comté et l'honneur de la Champagne. Pour vous remercier, le comte Herbert vous prie de choisir votre récompense. Terres, richesses, honneurs, il n'est rien qu'il puisse vous refuser. Ce sont ses propres paroles.

— Si vous voulez faire quelque chose pour moi, sauvez cet enfant, grogna Roderic. C'est la deuxième fois qu'il expose sa vie pour mon salut.

Le sénéchal adressa un regard interrogateur au moine. Celui-ci secoua la tête d'un air résigné. Avec la chaleur de l'été, la plaie s'envenimait avec une rapidité effrayante. L'infection gagnait déjà l'épaule.

Soudain, le blessé poussa un gémissement et appela d'une voix faible :

– Hiram ! Hiram !

Le sénéchal fronça les sourcils :

– Je connais Hiram. C'est un médecin, un célèbre médecin arabe.

– Un médecin, dites-vous ? s'exclama Roderic.

– Il a guéri le comte et son épouse d'une fièvre maligne. C'est un élève d'Abulcasis, le fameux chirurgien de Cordoue... Et je connais aussi ce garçon, ajouta le sénéchal. Je me souviens de lui... C'est le fils d'Hiram !

– Son fils ?

– Hiram le cherche depuis deux ans. Il était donc chez vous ?

Ignorant la question, Roderic saisit le bras de Châlons :

– Cet Hiram, où est-il ?

– Il vit à Artines, à l'ouest, dit le sénéchal. Il faut le prévenir. S'il ne guérit pas le garçon, personne ne le pourra !

Le sénéchal dépêcha aussitôt deux cavaliers vers le bourg où résidait le médecin. Après leur départ, Roderic continua à veiller, assis sur la paillasse où gisait Raoul. Les festivités de la victoire avaient cessé. Un chant religieux et lointain remplaçait les hurlements. Dans le recueillement qui succédait au carnage, puis au triomphe, il annonçait la sinistre corvée d'enterrer les morts, le jour revenu.

« S'il y a une vie à sauver, c'est bien la sienne », pensa Aiglemont en observant le jeune écuyer. Grâce aux potions que lui administrait le moine, la fièvre du blessé avait baissé; son état paraissait s'améliorer. Mais ce n'était qu'une illusion. Son visage, creusé par la souffrance, était d'une pâleur de cire; sa respiration, difficile.

Dans le silence nocturne, on n'entendait que les murmures du moine, entrecoupés des soupirs de plus en plus faibles de l'agonisant.

Soudain, des pas s'approchèrent de l'ermitage. Croyant que les cavaliers de Châlons étaient de retour, Roderic se précipita, rempli d'espoir. Il fut déçu: ce n'étaient que Baudouin et Ancy, qui lui apportaient à manger. Il refusa d'un geste rude:

– Que font-ils?

Baudouin secoua la tête:

– Il y a vingt lieues aller-retour, et il fait nuit.

– Les messagers sont plus prompts lorsqu'il s'agit d'annoncer la victoire!

Il se rassit. Les chevaliers s'en allèrent, remâchant leur amertume. Roderic avait l'air de les rendre responsables de ce qui était arrivé à l'enfant, alors qu'ils avaient combattu sans répit et risqué leur vie pour leur seigneur.

Cependant, Aiglemont avait d'autres soucis en tête : depuis un long moment, le blessé ne bougeait plus. Ses traits étaient étrangement figés.

Le moine interrompit ses prières et vint poser la main sur son front, puis sur son cœur. Il poussa un profond soupir et se signa.

23

Hiram

– Mort ? s'écria Roderic.

L'ermite hocha la tête d'un air compatissant. Aiglemont l'écarta avec impatience et se pencha sur le corps de Raoul. Celui-ci semblait plus jeune. Il saisit son visage entre ses mains et le trouva glacé.

– Reste avec nous ! ordonna Aiglemont.

Comme s'il voulait répondre à son seigneur, du fond des ténèbres, Raoul poussa un gémissement.

– Accroche-toi ! Bats-toi ! gronda Roderic. Tu es mon fidèle écuyer. J'ai besoin de toi à mes côtés. Tu n'as pas le droit de m'abandonner !

Les lèvres du moribond esquissèrent une légère grimace, où Aiglemont crut voir un sourire. Le guerrier serra la main du garçon :

– Hiram est en chemin. Attends-le ! Tu ne voudrais pas t'en aller sans lui dire adieu ? Ton père sera si heureux de te revoir et d'apprendre ta conduite héroïque...

Il continua à parler longtemps pour dissuader le blessé de s'abandonner à la mort. Il aurait voulu lui communiquer sa force.

Le jour pointait. Un fil ténu rattachait encore Raoul à la vie lorsque Roderic perçut au loin un galop. Il sortit de la cabane. Cette fois, c'étaient bien les habits bleus de Champagne. Un homme au visage mat accompagnait les deux cavaliers du sénéchal. Il était vêtu d'une robe blanche, serrée à la taille par une large ceinture rouge, et portait un sac de cuir. Sans prononcer une parole, il entra dans l'ermitage, déposa son sac et se pencha sur son fils.

Son premier soin fut d'ôter les pansements du moine. Ensuite, il nettoya la plaie à l'aide de tampons de charpie imbibés d'une liqueur verte. Le sang jaillit de la blessure et ruissela sur le ventre de Raoul. Hiram tira de son sac des pots d'argile, des pinces et de fines lames de métal.

Avec l'aide du moine, il entreprit d'allumer un feu. Dès que les flammes furent assez vives, il y plongea ses instruments. Au bout de quelques instants, il les reprit pour les introduire dans la plaie et ligaturer les veines et les artères. Lorsqu'il eut achevé son travail de chirurgie, il enduisit la blessure de pommade avant de comprimer la poitrine de Raoul dans un tissu muni de sangles. Il prépara alors une boisson, qu'il administra à son fils à intervalles réguliers.

Il le soigna ainsi tout le jour. Raoul était toujours inerte. Même quand son père avait écarté les lèvres de la plaie et pénétré profondément les chairs enflammées, il n'avait pas eu le moindre tressaillement. Hiram ne manifestait pas davantage ses sentiments. Son visage restait de marbre. Il ne daignait même pas répondre aux questions de Roderic. Les soins apportés au mourant l'absorbaient totalement. «Comment peut-il rester aussi tranquille?» s'étonnait Aiglemont, qui arpentait la cabane.

Au crépuscule, le chevalier s'assit dans un coin, à même la terre, et ferma les yeux. Depuis deux jours, il n'avait pas pris de repos. Le sommeil commençait à le terrasser lorsqu'il fut alerté par les gémissements de Raoul. Les plaintes devinrent des cris, comme si les terribles souffrances endurées par le jouvenceau avaient enfin atteint sa conscience. Alarmé, Roderic s'approcha d'Hiram et posa une main sur son épaule:

– Comment va-t-il?

Le médecin tourna vers lui son visage brun éclairé d'un sourire:

– Il vivra.

24

Le Chevalier du Vent

Trois jours après ces terribles événements, Raoul s'éveilla. Depuis un long moment, à demi conscient, il sentait près de lui une douceur apaisante. Ouvrant les yeux, il découvrit Éléonore penchée au-dessus de son lit. Les boucles blondes de la jeune femme lui frôlaient le front.

Il fit un effort pour se redresser. Aussitôt, une violente douleur lui déchira la poitrine. Le garçon regarda autour de lui d'un air étonné. Il se souvint d'une scène semblable dans la chambre haute d'Aiglemont. Il avait cru entendre des voix d'anges. Il y avait si longtemps !

– Reste tranquille, murmura Éléonore. Tu es encore trop faible. Tu as perdu beaucoup de sang.

Dès que son état l'avait permis, le sénéchal de Champagne avait fait transporter le blessé dans l'une de ses demeures, proche de la masure où il avait lutté contre la mort. Sa chambre était vaste et ensoleillée. Peu à peu, la mémoire lui revint : il revit la bataille au bord de l'Aisne, les barbares en fuite, la mort qui fondait sur Aiglemont...

– Dame, pardonnez-moi, balbutia-t-il.

– Te pardonner ?

– Oui, de vous avoir désobéi.

Une main fraîche caressa son front et lui masqua les yeux. Quand elle se retira, il vit que la jeune femme était en proie à une vive émotion.

– Ne pense plus à ça, mon petit champion.

– Le champion, ce n'est pas moi, mais messire Roderic.

– Sans toi, il n'y aurait plus de Roderic, dit Éléonore à voix basse.

Les lèvres de la dame effleurèrent sa joue. Il fut enveloppé d'un délicieux parfum de verveine, et ferma les yeux en murmurant :

– Ma douce, très douce dame.

Quand il les rouvrit, à la place du visage tendre d'Éléonore, il trouva le minois moqueur d'Élise :

– Merci ! Tu ne m'avais jamais rien dit d'aussi aimable.

– Ce n'est pas à vous que je m'adressais ! grogna-t-il avec humeur.

La jeune fille pouffa :

– Ce qui est dit est dit !

Malgré ses taquineries, on la sentait soulagée et heureuse.

Baudouin écarta sa fille et se pencha à son tour sur le blessé. Avec lui il y avait Lanval, Roger, Mercueil, Perceval et Ancy. «Tout Aiglemont est là !» se réjouit Raoul.

— Je suis heureux de vous voir en vie! s'écria-t-il.

— N'essayez pas de nous amadouer, messire chevalier du vent, gronda Baudouin. Depuis des jours, vous jouez au mourant pour vous faire dorloter. Vivement l'école de Reims et la trique!

Derrière les chevaliers, qui riaient de bon cœur, Raoul aperçut Hiram, en train de converser à voix basse avec Roderic d'Aiglemont. «Ainsi, ils ont retrouvé mon père, pensa-t-il avec un mélange de tendresse et d'appréhension. À présent, ils ont découvert mon secret. Finis, les combats! Je vais retrouver ma maudite école et cet âne d'écolâtre! Dieu sait ce qu'il va inventer pour me punir d'avoir volé le cheval de monseigneur Gerbert!»

Interrompant sa discussion, Hiram s'approcha du lit. Raoul soutint son regard sévère.

— Pourquoi es-tu parti? demanda le médecin.

— Vous ne l'ignorez pas, père.

— Certes, mais je veux te l'entendre dire.

– Je rêve depuis toujours de devenir chevalier.

Le visage d'Hiram s'assombrit davantage :

– Tuer au lieu de guérir !

– Protéger les faibles, servir Dieu, protesta Raoul en se redressant.

D'une main apaisante, son père le força à se recoucher :

– Pas d'effort !

C'était son premier geste affectueux. Il reprit aussitôt :

– À la guerre, on n'est pas maître de sa violence et, avec les meilleures intentions du monde, on finit toujours par répandre un sang innocent.

– Le sang des barbares !

– Le sang des hommes a la même couleur, quelle que soit leur origine.

Raoul se mordit les lèvres. Avec Hiram, il était impossible de discuter. Il avait toujours le dernier mot. Il fallait lui obéir sans poser de question. Dans son domaine, il était plus tyrannique qu'Olwen dans le sien. Raoul l'aimait pourtant. Pendant des années, il avait cherché à le satisfaire. Pourquoi ne voulait-il pas écouter son cœur? Lui, si généreux avec les autres et si dur avec son propre fils!

– Vous m'aviez fait une promesse, rappela Raoul avec rancune.

– C'est vrai. Avec l'espoir que tu changerais d'avis... Le seigneur d'Aiglemont s'est montré généreux. Cette école de Reims est de bonne renommée.

– Je préfère encore la vôtre, soupira le jouvenceau.

Hiram secoua la tête avec tristesse:

– Il faut croire que non!

«Il ne changera pas d'avis, pensa Raoul. Je ne serai jamais chevalier. Il va me ramener à Artines ou à Reims. Ma vie d'avant va recommencer: le latin, le grec, l'arabe, les mathématiques, la science des plantes, la médecine, de l'aube au crépuscule...»

– Oui, tu vas retourner à l'école..., dit Roderic.

« Ils sont tous ligués contre moi, même lui ! » songea Raoul avec amertume.

– Tu vas retourner à l'école des armes.

Raoul dévisagea Aiglemont, incrédule :

– Des armes ?

Aiglemont fit un geste. Aussitôt, Baudouin déposa sur le lit une brassée d'instruments guerriers. Raoul distingua une épée, une dague, une cotte de mailles et un casque de cuir, tout cela à sa taille.

– Et ce n'est pas tout : le comte Herbert t'a offert un cheval, le meilleur de son écurie.

Raoul regarda Roderic d'un air éperdu de reconnaissance. Le seigneur sourit tristement :

– Mon fidèle Orderner a succombé au cours du combat. Tu le remplaceras... si toutefois ton père y consent.

Hiram resta d'abord silencieux, visiblement en proie à un violent combat intérieur. D'un côté, il y avait ses préceptes de non-violence ; de l'autre, le bonheur de son fils. Avec un profond soupir, il pencha pour ce dernier :

– Si c'est la volonté de Dieu... Tu seras probablement meilleur guerrier que médecin.

– Le meilleur chevalier du monde, ajouta Éléonore en serrant la main de Raoul. Le plus prompt à exposer sa vie pour sauver celle de ses compagnons : le Chevalier du Vent !

Dans la même collection

**Jésus,
comme un roman...**
de Marie-Aude Murail

Les chats
de Marie-Hélène Delval

**Le destin de
Linus Hoppe**
d'Anne-Laure Bondoux

**La seconde vie de
Linus Hoppe**
d'Anne-Laure Bondoux

Par-dessus le toit
d'Audrey Couloumbis

Francie
de Karen English

**Mon amie
Anne Frank**
d'Alison Leslie Gold

**Les messagères
d'Allah**
d'Achmy Halley

**Les ombres
de Ghadamès**
de Joëlle Stolz

**L'inconnu du
Pacifique**
de Martin de Halleux

**L'île des rêves
interdits**
de Monica Hughes

**Adam,
comme un conte**
de Martine Laffon

**Myriam choisie
entre toutes**
de Thierry Leroy

**Moïse, le prince
en fuite**
de Julius Lester

Si je reviens
de Corinne Demas

La marque de l'Élue
d'Aiden Beaverson

Silverwing
de Kenneth Oppel

Sunwing
de Kenneth Oppel

Firewing
de Kenneth Oppel

**Les orangers
de Versailles**
d'Annie Pietri

**L'espionne
du Roi-Soleil**
d'Annie Pietri

Le collier de rubis
d'Annie Pietri

La fée et le géomètre
de Jean-Pierre Andrevon

35 kilos d'espoir
d'Anna Gavalda

**Le prince
des apparences**
de Catherine Zarcate

**La moitié
d'un vélo**
de Derek Smith

**L'autre visage
de la vérité**
de Beverley Naidoo

**Une maison,
un jour...**
de Frances O'Roark Dowell

**Méléas
et le warlack**
de Ian Ogilvy

Fils du ciel
de Kenneth Oppel

La Tribu
d'Anne-Laure Bondoux

Le cri de l'épervier
de Thomas Leclere

**Les aventuriers
du Nil**
de Christophe Lambert

**Il était une fois
un garçon, un troll
et une princesse...**
de Jean Ferris

Loulette
de Claire Clément

**Le Chevalier
du vent**
de Claude Merle

*Cet ouvrage a été mis en pages
par DV Arts Graphiques à Chartres*

Impression réalisée sur CAMERON par

BRODARD & TAUPIN

GROUPE CPI

*La Flèche
en avril 2006*

pour le compte des Éditions Bayard

Imprimé en France
N° d'impression : 35184